P9-CPY-080

Refuges

Casterman
Cantersteen 47
1000 Bruxelles

www.casterman.com

ISBN : 978-2-203-16376-8
N° d'édition : L.10EJDN002020.N001

Achevé d'imprimer en janvier 2018, en Espagne.
Dépôt légal : mars 2018 ; D.2018/0053/256
Déposé au ministère de la Justice, Paris (loi n°49.956 du 16 juillet 1949
sur les publications destinées à la jeunesse).

Annelise Heurtier

casterman POCHE

1

Mila abandonna son sac à dos sur le lit. La petite chambre n'était éclairée que par les rais de lumière filtrant à travers les persiennes ajourées et, à part le refrain étouffé des vagues se brisant sur les falaises, aucun bruit ne venait bousculer la pénombre.

Cela faisait si longtemps qu'elle n'était pas revenue sur l'île.

Six ans. Il fallait savourer ce moment.

Mila prolongea l'attente en ondulant ses doigts à travers l'un des sillons clairs pailletés de poussière. Les minuscules particules en suspension s'affolèrent, comme une colonie de fourmis chahutée par un gamin curieux.

Elle inspira profondément et, d'un coup sec, ouvrit en grand les persiennes.

L'éclat platiné de la mi-journée s'engouffra brutalement. Mila plissa les yeux et détourna la tête.

Une fois habituée à la luminosité, elle se mit à détailler les lieux, presque avidement.

Avec soulagement, elle constata que l'agencement et la décoration étaient restés les mêmes. Au milieu, le petit lit en fer-blanc recouvert d'un couvre-lit fleuri, sur lequel elle avait posé son sac à dos. Les murs étaient nus, à l'exception de quelques cadres qui enfermaient des reproductions de peintures naïves ou des clichés de l'île : le port et ses maisons pastel, une crique blottie dans une échancrure du littoral, des falaises abruptes jaillissant d'une eau cobalt.

Mila réalisa qu'elle respirait très vite, comme après un effort. Si elle avait déjà imaginé cent fois ses retrouvailles avec cette chambre, le fait de les vivre était bien différent. Il y avait de l'excitation, du bonheur, de l'émoi, mais également autre chose, comme un arrière-goût auquel elle ne s'était pas préparée. Quelque chose de triste.

À bien y regarder, les meubles étaient de facture très modeste. Les couleurs du couvre-lit étaient défraîchies, le cannage de la chaise abîmé, et la poupée qui y était installée avait les cheveux crépus et emmêlés. Sous ses pieds, le tapis de coton était par endroits usé jusqu'à la corde.

Mila avala sa salive. Ses souvenirs contrastaient avec l'atmosphère surannée qu'elle retrouvait aujourd'hui. On aurait dit que la chambre avait… fané. Tout semblait vouloir lui rappeler que les années passées – dans lesquelles elle se réfugiait souvent en pensée, à l'époque tout allait tellement *mieux* – ne pourraient plus être rattrapées.

Mila balaya sa déception et s'approcha de l'étagère sur laquelle s'alignaient quelques livres d'enfants. Elle fit courir ses doigts sur les dos usagés, jusqu'à ce que l'un d'entre eux agrippe son regard : une vieille édition de *Cendrillon*, illustrée par Roberto Innocenti. Elle fit basculer l'ouvrage pour en examiner la couverture, qui réveilla des souvenirs enfouis. Des impressions plus que des images : le poids rassurant des bras de sa mère autour des siens, les modulations de sa voix au gré des personnages.

Elle se sentit sourire à cette évocation. Voilà. C'était plutôt cela qu'elle avait espéré faire surgir en revenant ici. De la douceur. De l'apaisement.

Elle feuilleta l'album, stupéfaite de constater à quel point les illustrations lui étaient familières, comme si elle les avait encore détaillées la veille.

Tout avait été gardé là, quelque part dans sa mémoire. Elle plongea son nez au milieu des pages et aspira son passé à grandes goulées.

— Alors ? Qu'est-ce que tu en dis ?

Adossé au chambranle de la porte, son père la fixait, visiblement inquiet et désireux de recueillir ses impressions. Mila referma l'album et le reposa doucement sur l'étagère. Les émotions qui se bousculaient en elle la laissaient un peu confuse. Entre le bonheur d'avoir retrouvé les lieux, la nostalgie douce-amère de son enfance et le constat brutal que tout pouvait être si différent alors que rien n'avait vraiment changé, elle était incapable d'exprimer un avis tranché. Elle répondit :

— Disons que dans ma mémoire, la chambre était plus… grande.

Il s'avança vers elle, abandonnant deux valises obèses sur le seuil de la porte.

— La dernière fois que nous sommes venus en vacances à la Pointe aux orangers, tu devais avoir dix ans. C'est surtout toi qui étais beaucoup plus petite. Avec le temps, tu verras que tout rétrécit.

Il marqua une pause souriante, avant de reprendre :

— En tout cas, il me semble que cette bicoque n'est pas en si mauvais état que ça. Je t'avoue que je m'attendais à pire. Et puis Gina a soigné les détails. Tout est propre et l'accueil est plutôt chaleureux. Tu ne trouves pas ?

Du menton, il désigna une petite table ovale sur laquelle trônait un vase de porcelaine rempli de fleurs fraîches. Des agapanthes blanches, des brins de lavande, des cistes pourpres.

D'un bras, il entoura Mila, l'attirant contre lui.

— Je suis heureux qu'on soit là.

Mila acquiesça en silence, un peu gênée. Depuis qu'elle passait l'année scolaire en internat, elle avait perdu l'habitude de ces manifestations de tendresse. Elle tenta de faire disparaître son embarras en se concentrant sur la *pupi*[1] en armure accrochée à la poignée de la porte. Suspendu à un triste enchevêtrement de fils, le chevalier unijambiste pendouillait lamentablement, portant son infirmité comme les stigmates de trop nombreuses manipulations d'enfants. Une bouffée de tristesse mêlée de colère enserra le cœur de Mila. Il faudrait qu'elle répare ce jouet-là.

Son père relâcha son étreinte.

— Tu viens m'aider ? Il y a encore des bagages à décharger.

— D'accord.

---

1. Marionnette sicilienne représentant des chevaliers moyenâgeux.

Elle le suivit à travers le couloir. Tandis qu'elle arrivait en haut de l'escalier de pierre, elle se mit à penser à l'album d'Innocenti. Comme Cendrillon, elle s'imagina descendre les marches sous les regards pressants des curieux massés dans la salle de bal. Au milieu de l'escalier, l'illustrateur avait placé une étrange bouée orangée, pour qui aurait besoin d'être sauvé. Cendrillon l'avait laissée. Mila songea qu'elle, elle l'aurait à coup sûr attrapée.

2

Mila et ses parents avaient quitté Rome le matin même, un mardi cotonneux de nuages blancs.

Il était relativement facile de venir jusqu'à Lampedusa, une île assez prisée des Italiens et donc plutôt bien desservie par les compagnies aériennes.

Le voyage n'avait été ni agréable ni désagréable. Il avait été.

Le vol était très court, à peine une heure. Mila n'avait pas eu de peine à distraire ses pensées en feuilletant un magazine people qu'elle avait acheté à l'aéroport Léonard-de-Vinci, en même temps que le *Corriere della Sera* réclamé par son père. En ce 4 juillet 2006, le quotidien titrait sur le déraillement d'un métro ayant fait quarante victimes, en Espagne, un drame dont les images défilaient sur les chaînes d'information en continu.

Le plus long avait été l'attente, à l'arrivée, dans l'agence de location de voitures, dont la décoration sommaire allait de pair avec l'absence de climatisation.

Pour une raison obscure de laquelle Mila s'était rapidement désintéressée, l'établissement du contrat avait nécessité des formalités à n'en plus finir. Tandis que son père s'agitait au comptoir, sa mère s'était coulée dans un fauteuil orange et était restée sans bouger, retranchée derrière des lunettes noires qui lui mangeaient le visage. Angoissée par cette vision qui lui semblait n'augurer rien de bon, Mila était allée s'asseoir sur un siège orienté dans le sens opposé, à côté d'une grande plante en plastique parfaitement mal imitée. Casque vissé sur les oreilles, elle avait monté à fond le son de *Blood Sugar Sex Magik*, son album préféré des Red Hot Chili Peppers. Puis, comme elle n'avait plus grand-chose à ronger sur ses ongles, elle s'était appliquée à noircir le sourire de la chanteuse qui se pavanait en travers des pages de son magazine. Avaient-ils vraiment bien fait de revenir sur l'île ?

Mila descendit les marches du perron, franchissant les quelques mètres qui la séparaient de la voiture de location. La maison était située au nord-est de Lampedusa, sur une pointe rocheuse et sauvage, où quelques buissons épineux tentaient de trouver une place au milieu d'un tapis de cactus. À part un phare à l'abandon, on n'y croisait aucune autre habitation, et pour accéder à la Pointe aux orangers, ils avaient dû emprunter un chemin de terre qui avait fait crisser les pneus et soulevé des nuées de poussière.

Dans le véhicule, il restait quelques valises, son oreiller et un petit sac à dos rempli de livres et de magazines, que Mila et Ivo se hâtèrent de ramener dans le salon. À l'intérieur de la maison, les volets n'avaient pas encore été ouverts, et, après avoir posé les bagages sur les tomettes de terre cuite, la première chose que fit Mila fut justement de gagner la porte-fenêtre. Elle avait du mal à supporter les clairs-obscurs, certainement parce qu'elle les associait à des souvenirs désagréables. Avant d'être interne, combien de fois était-elle rentrée du collège pour trouver sa mère Lucia couchée en chien de fusil sur le grand canapé, les yeux perdus dans l'ombre du salon ? Mila déposait un baiser rapide sur une joue qu'elle trouvait froide, s'empressait de remonter les stores pour faire entrer le jour. À ce moment-là, le plus souvent, Lucia se levait et partait se réfugier dans une autre pénombre, celle de sa chambre par exemple. Parfois, avant de quitter la pièce, elle prenait la peine de poser quelques questions banales, auxquelles Mila répondait de façon mécanique, sans s'investir, persuadée que de toute façon, sa mère n'écoutait pas les réponses.

Mila chassa ces images et écarta les rideaux de lin beige pour accéder à la poignée de la fenêtre. Elle n'avait pas gardé de souvenirs réellement précis de la grande terrasse qui s'étendait derrière, mais chez elle, à Rome, il y avait ces albums remplis de photos de joyeuses tablées estivales, qu'elle avait toujours adoré regarder. *Nonna*[2] en bout de table, remuant les pâtes avec la gravité solennelle de celle à qui incombe la lourde tâche de nourrir toute une famille. Les adultes – ses parents, ses oncles et tantes – riant ensemble ou changeant la couche d'un petit neveu sur l'une des chaises longues. Et en arrière-plan, dans le jardin, des enfants hilares s'aspergeant avec le tuyau d'arrosage.

Mila replia les volets et sortit sur la terrasse pavée de galets gris, espérant faire ressurgir ces scènes oubliées. Mais ce ne furent ni l'absence de mobilier, ni l'intensité de la lumière qui frappèrent Mila. Elle mit ses mains en visière et, après

2. Grand-mère, en italien.

un temps d'arrêt, traversa la terrasse en engloutissant ses pas.

— La vache, laissa-t-elle échapper en arrivant à l'extrémité.

Elle grimpa sur le petit muret de pierre et croisa ses mains au-dessus de sa tête. Comment était-il possible qu'elle ait oublié un paysage pareil ? C'était… une claque visuelle.

Il y avait d'abord cette sorte de péninsule, cette longue avancée d'un gris presque blanc, dont les contours dentelés semblaient avoir été ciselés par une main délicate. Il y avait ensuite cette eau aux dégradés si intenses qu'on aurait pu les croire artificiels.

Enfin, au loin, l'horizon de métal qui luisait sous le soleil.

Mila inspira profondément, heureuse et soulagée de voir que les lieux seraient peut-être à la hauteur de ses espérances. Sans compter qu'elle avait encore toute l'île à redécouvrir : qui sait quels trésors oubliés elle pouvait renfermer.

Dans ces conditions, il ne lui serait peut-être pas insurmontable de passer ces quatre longues semaines en compagnie de ses parents.

Même en juillet, ce mois qu'elle s'efforçait d'oublier mais qui, depuis qu'elle avait onze ans, venait lui rappeler ce qui était arrivé.

Amir, 15 ans et 2 mois

La première fois, j'avais onze ans. À l'époque, j'étais tellement différent.

C'était un mercredi de juin. Dans mon esprit d'enfant, l'unique jour de repos hebdomadaire était toujours teinté d'une couleur particulière, celle de l'oisiveté (pourtant très relative) que me procurait l'absence d'école, et celle du bonheur mêlé d'appréhension d'avoir notre père avec nous, à la maison.

Il était 17 heures. Dans le quartier d'Abbashawel, le soleil déclinant commençait à lécher les façades claires de sa langue énorme, chaude et dorée. À genoux sur le sol de terre de la maison, je m'échinais à piler du teff tandis qu'avec la farine obtenue, ma mère préparait la pâte fermentée qui servirait à fabriquer les injeras, *les galettes traditionnelles accompagnant nos repas.*

Autour de nous, l'air était immobile et grave, saturé par la présence solennelle de mon père, assis sur la seule chaise de la maison, dans la pénombre d'un coin. Je me sentais fier de le sentir si près de moi, tout comme je craignais de le décevoir par un quelconque mot ou geste maladroit. Concentré sur ma tâche, je prenais garde à ce qu'aucune des petites graines brunes ne s'échappe de mon mortier.

De dehors, par la porte ouverte, nous parvenaient les cris étranglés de rire de ma petite sœur et des autres enfants qui, poursuivis par quelque effroyable animal imaginaire, zigzaguaient au milieu de fourgonnettes brinquebalantes et de nuages de poussière rouge.

Ma mère a recouvert la pâte d'un linge propre puis est allée se rincer les mains dans la bassine de tôle qui nous servait d'évier. Ensuite, elle s'est avancée sur le seuil de la porte d'où elle a regardé filer quelques minutes de la vie du quartier. Je la trouvais belle, avec ses pommettes saillantes, son cou un peu trop long et les bagues argentées qui ornaient ses orteils.

Au bout d'un silence, elle s'est retournée et a hasardé à l'adresse de mon père :

— Nous pourrions peut-être sortir... Descendre jusqu'à la pension Capri, pour faire la surprise à Fana ?

L'excitation et l'envie se sont invitées dans mon cœur comme des chèvres bondissantes dans les plaines des basses terres, mais je n'ai pas osé regarder mon père, de crainte d'y croiser la réponse négative que je redoutais. Le maigre salaire que le gouvernement érythréen lui octroyait n'autorisait aucun écart. Et la surveillance systématique opérée par les soldats invitait plutôt les habitants à rester chez eux. Je le compris quelques années plus tard : dans mon pays, ne rien avoir à se reprocher était loin de garantir une quelconque tranquillité.

Après un silence martelé par les battements de mon cœur, mon père a répondu de l'un de ses claquements de langue approbateurs. J'ai levé la tête vers lui, reconnaissant et surpris à la fois. Peut-être était-ce pour nous faire plaisir, à ma mère et à moi. Ou peut-être était-ce simplement pour Fana.

Il a ajouté :

— Nous irons simplement la saluer, sans commander quoi que ce soit. Je n'ai pas d'argent à dépenser là-bas.

Bien que la remarque ne me soit pas personnellement destinée, j'ai hoché la tête et suis rapidement sorti chercher ma sœur avant que mon père ne change d'avis.

Je l'ai trouvée à quelques mètres de la maison. Avec une autre petite fille aux mollets tout aussi poussiéreux, elle était adossée à un mur que plusieurs couches de peinture écaillées habillaient d'un étrange pelage de léopard pastel. Le monstre imaginaire avait fini par les lasser : voix basses et visages rapprochés, elles étaient désormais en train d'échanger quelque secret.

Je l'ai attrapée par le bras.

— Viens, on va aller voir Fana !

Les yeux de ma petite sœur se sont mis à briller.

— Au Capri ?

— Oui, au Capri. C'est Papa qui l'a dit.

Nous sommes descendus tout droit en direction de Harnet Avenue. Mon père, ouvrant la marche, puis ma mère drapée dans sa netsela *blanche, et enfin ma petite sœur et moi, nos têtes remplies des promesses offertes par cette balade improvisée.*

Plus nous nous éloignions d'Abbashawel et plus l'environnement changeait. Les maisons de terre, leurs toits de tôle et leurs portes bleues, les échoppes minuscules, les vendeurs installés par terre et la poussière de mon quartier faisaient place à des rues plus larges, plus propres, dont certaines étaient flanquées de bâtiments flambant neufs, presque futuristes. Je me retournai pour suivre du regard ceux qui en sortaient : je songeai qu'il devait s'agir de personnes très importantes pour que le gouvernement les emploie dans des bâtiments aussi rutilants.

À cette heure de l'après-midi, les rues d'Asmara étaient animées. La présence italienne d'avant la Seconde Guerre mondiale n'avait pas uniquement marqué les façades Art déco des bâtiments du centre-ville ou les cartes des restaurants. Certaines traditions étaient restées. L'attrait pour les voitures italiennes. Le nom des cinémas ou la promenade du soir, la passeggiata, *que la surveillance étroite mise en place depuis quelques années n'avait pas réussi à faire disparaître. À l'époque, j'étais un petit garçon naïf, je n'avais pas conscience de tout cela. La présence des soldats, bien qu'inquiétante, m'était familière. Pour moi, ils avaient toujours été là, comme les palmiers et les dattiers qui s'alignaient sur les plus belles avenues d'Asmara.*

J'adorais flâner dans les rues du centre-ville, même si ce privilège était très rare. M'étourdir de bruits, d'odeurs, de visages auxquels je prêtais des vies d'aventure et de gloire. Ma mère nous interdisait de sortir seuls, de peur qu'un contrôle ne tourne mal, de peur que l'on ne se fasse embarquer par les militaires. Mais ce soir-là, avec la présence rassurante de mon père à nos côtés, il me semblait que rien ne pouvait nous arriver. Après tout, il avait été au front pendant la guerre d'indépendance[3]*. Lui aussi, il avait été soldat. Il y avait même laissé un bras.*

3. Menée de 1960 à 1991, cette guerre d'indépendance a opposé l'Érythrée à l'Éthiopie, à laquelle l'Érythrée avait été intégrée après la Seconde Guerre mondiale par les Nations unies.

Devant la cathédrale Saint-Joseph, mon père s'est arrêté pour saluer une connaissance. Je profitai de cette pause imprévue pour observer tout à loisir autour de moi : des femmes revêtues de la gabbi, *la traditionnelle toge de coton blanc, discutaient ou tenaient par le bras des enfants récalcitrants. Des hommes en costume, d'autres en pantalon sombre et bras de chemise, attendaient le bus sous les abris vert d'eau que l'inusable soleil d'Afrique délavait patiemment, jour après jour. Un jeune homme devisait au téléphone, brandissant, au gré de la conversation, un sac de plastique d'où sortait la queue luisante d'un poisson.*

Mon cœur se serra légèrement à la vue des soldats en uniforme beige qui patrouillaient à hauteur des immenses palmiers encadrant le parvis de la cathédrale. Fasciné, j'avais du mal à détacher mes yeux des kalachnikovs brillantes qu'ils portaient en bandoulière, comme des prolongements d'eux-mêmes. Longtemps, j'ai redouté le jour où j'aurais dix-huit ans. Je croyais que les armes poussaient à cet âge-là, lorsqu'il faut entrer au camp d'entraînement militaire, à Sawa. J'avais peur que ce ne soit douloureux.

Ma mère m'a tiré par le bras. Impérieuse, elle a chuchoté :

— Ne les regarde pas comme ça. Tu veux nous faire remarquer ?

J'ai baissé la tête, la gêne me montant aux joues. Par chance, mon père discutait encore avec l'homme, et je compris avec soulagement que ses réprimandes ne devraient pas s'ajouter à celles de ma mère.

Nous avons repris notre marche dans les rues d'Asmara.

Bientôt, nous avons tourné dans Mata Street, où se trouvait la pension Capri. Le jour avait fini par tomber tout à fait et, par endroits, quelques lampadaires humectaient le trottoir de flaques de lumière pâle.

Au-dessus de la porte de la pension, le panneau jaune qui faisait office d'enseigne laissait à peine entrevoir le nom de l'établissement. De toute façon, la pancarte n'était utile à personne. Selon Fana, tous les Asmarinos connaissaient la pension Capri, son arrière-salle presque cachée au bout d'un couloir gris, ses serveuses aux cheveux tressés de perles et son comptoir prêt à s'effondrer sous le poids des papayes, des mangues et des goyaves.

Deux grappes de clients sont sorties avant que mon père ne prononce un mot, me libérant du vague sentiment d'embarras que j'éprouvais à rester planté ainsi devant la porte de l'établissement.

— Entrons.

Dans le bar, je n'ai pas repéré Fana tout de suite. Sur le comptoir, un formidable tas de fruits ventrus, prêts à éclater, attirait le regard. Vertes ou orangées, les papayes n'attendaient qu'à être débarrassées de leurs graines pour être pressées en jus épais.

Sur la table la plus proche de nous, j'avisai deux jeunes filles voilées. Elles discutaient devant une immense chope de « jus », un breuvage épais, à la fois spécialité et unique possibilité de rafraîchissement offerte par la pension Capri. Elles avaient commandé la version « crème glacée », et la simple vision de cette boule de glace à la vanille ne parvenant pas à s'enfoncer dans la purée de fruits me fit abondamment saliver.

— Mais qu'est-ce que vous faites là ?

Derrière nous se tenait Fana, le visage fendu d'un large sourire. Ses cheveux étaient tressés et perlés, relevés en une sorte de chignon dans lequel elle avait piqué un petit crayon de papier.

Du coin de l'œil, je regardai mon père la regarder. De ses trois filles, c'était la seule qu'il considérait de cette façon. On y lisait de l'amour. De l'admiration. Fana avait eu son diplôme de fin d'études. Fana avait fait son service militaire au camp de Sawa et en était revenue. Fana travaillait pour la Patrie.

À l'époque, cela devait faire six mois à peine que Fana était au Capri. C'était le poste auquel elle avait été affectée par le gouvernement. Elle gagnait

150 nafkas[4] *par mois et même si être assignée à ce genre d'emploi relevait du miracle – sa meilleure amie suait quinze heures par jour sur un chantier de construction tandis qu'une autre récurait les toilettes dans les bureaux du ministère de l'Information –, elle s'ennuyait déjà. Fana voulait conduire des trains. Chaque jour, à l'avant de l'une de ces locomotives à vapeur, sur l'unique ligne de chemin de fer, relier Asmara à Massawa. S'arrêter dans les petites gares, traverser les forêts d'épineux, les plaines piquées de cactus et enfin, arriver au bord de la mer Rouge, comme au bord du monde.*

Fana a embrassé mes parents et s'est adressée à ma petite sœur et moi :

— Vous voulez voir comment je presse ces énormes papayes ?

Ma mère a esquissé un mouvement de refus, mais dans un sourire, Fana a soufflé :

— Mon chef n'est pas là, on ne risque rien. Venez avec moi ! Peut-être même que je pourrai vous en faire goûter un peu.

Ma petite sœur a étouffé un cri d'excitation et nous avons suivi Fana sur le sol collant, en direction du comptoir.

4. 150 nafkas = 8,15 euros.

C'est à ce moment-là qu'ils sont arrivés.

Dans mon souvenir, ils étaient vingt ou trente. Mais j'imagine qu'en réalité, ils devaient être une dizaine tout au plus, comme pour les autres giffa[5] *que j'ai vécues par la suite.*

Précédés par le martèlement de leurs pas, ils sont entrés dans la salle, AK-47 au bras. Leurs vociférations mécaniques ont envahi l'espace, je les entends encore résonner dans ma tête, ricocher sur les vieux murs avant de venir s'engluer sur le linoléum poisseux. Dans le bar, tout le monde s'est levé comme un seul homme. On aurait dit ces groupes de moineaux qui, au signal invisible et muet qui leur est mystérieusement donné, s'envolent tous dans la même direction connue d'eux seuls.

Mes sœurs et moi avons rejoint mes parents qui étaient restés de l'autre côté de la salle, sous une affiche dédiée à la gloire d'un chanteur patriote. J'avais les jambes en coton.

Ma mère cherchait dans son sac les quatre précieux sésames, les quatre laissez-passer sans lesquels il était impossible de se déplacer en Érythrée.

Le visage de mon père avait pris une teinte de cendre. Cette constatation me vrilla l'estomac. Mon père, ce soldat qui avait combattu contre l'ennemi éthiopien.

5. Rafles.

Mon père, qui avait perdu un bras dans les pierriers des montagnes. Pouvait-il avoir peur d'un contrôle des soldats ?

À la queue leu leu, nous nous sommes dirigés vers la sortie. Sur la table des deux jeunes filles, le jus avait englouti la boule de glace à la vanille.

Je réalisai bien vite que la giffa *ne concernait pas que le Capri. Toute la rue avait été cernée. Des camions militaires la barraient tous les cinquante mètres environ, décourageant quiconque de se soustraire aux vérifications. Mes parents, mes sœurs et moi, tout comme le reste des clients et du personnel du Capri, sommes venus compléter la grande ligne de citoyens accroupis qui s'était formée dans la rue. Les papiers blanc et jaune des laissez-passer fleurissaient au bout des doigts et c'est avec un geste saccadé que ma mère me fourra le mien dans la main.*

Lentement, les soldats examinaient les documents.

Nom, prénom, ministère d'affectation, zone de circulation.

De temps à autre, comme un fruit pourri, un homme ou une femme était tiré du rang, qu'un autre soldat poussait sans ménagement dans le fourgon le plus proche.

Une femme voilée a trébuché, le soldat lui a donné un coup de kalachnikov dans la cuisse pour la faire se relever.

C'est alors qu'un militaire à la moustache fine s'est approché de mon père et lui a réclamé son laissez-passer. Comme il le tendait, je ne pus que remarquer les larges auréoles de sueur qui maculaient sa chemise claire. À cet instant et pour la première fois, il me parut vieux, faible. Infirme.

Mon père, l'ancien tagadalti, *un de ces vétérans chéris par la Patrie, réduit à montrer ce bout de papier, comme n'importe qui.*

Quand le soldat s'est posté devant ma petite sœur, elle n'a rien pu faire d'autre que de fixer ses pieds. Comme il lui ordonnait de se dépêcher, elle s'est mise à pleurer et ma mère a attrapé le laissez-passer en s'excusant fébrilement.

Puis ce fut mon tour.

Autour de moi, tout avait disparu. La rue, les façades décrépies côtoyant l'immeuble moderne du bout de la rue, les lampadaires faiblards et le trottoir carrelé et les affiches à la gloire des soldats et les boutiques et les fourgonnettes militaires et les auréoles de mon père. Il n'y avait plus que la main de ce soldat qui tenait mon laissez-passer. Se pouvait-il que je sois un fruit pourri ? À ce moment-là, je ne savais pas exactement ce qu'il devait contrôler.

Sur le chemin du retour, aucun de nous quatre n'a dit quoi que ce soit. Sur la chemise de mon père, l'empreinte de la sueur séchée n'en finissait pas de crier qu'il avait eu peur.

J'avais onze ans et c'est la première giffa *dont je me souvienne.*

J'avais onze ans et c'est la première fois que je me suis posé la question. La vie était-elle la même ailleurs, par-delà les frontières de mon pays ?

3

Mila fit tourner le vieux robinet en fonte, qui glouglouta quelques instants avant de crachoter un filet d'eau froide. Pendant qu'elle patientait le temps que la température devienne acceptable, elle s'approcha de la longue psyché qui trônait à côté du lavabo et croisa son reflet dans le miroir. Ses longs cheveux noirs qu'elle avait relevés en un chignon épais étaient humides sur les tempes et recouverts de lambeaux grisâtres qui se délitèrent entre ses doigts. De minuscules gouttes de sueur perlaient au-dessus de sa lèvre supérieure, tandis qu'une épaisse trace brunâtre noircissait son nez. La vision était incongrue et elle décida qu'il valait mieux s'en amuser. Elle se déshabilla à la hâte et poussa du pied ses vêtements collants de sueur et collés de saletés.

Mila entra précautionneusement dans la baignoire. Une fois assise, elle ferma les yeux et se laissa lentement glisser sous l'eau tiède. Qu'il était bon de s'allonger, rassurée par la certitude d'être isolée de ses parents, au moins pour un moment.

Dès leur descente de voiture, son père s'était laissé happer par le tourbillon hyperactif qu'il avait lui-même créé : défaire les valises, aérer les pièces, vérifier le fonctionnement des appareils, l'étanchéité de la robinetterie ou l'état général du mobilier.

Depuis que Manuele était mort, c'était toujours la même chose : où qu'ils soient, Mila avait toujours l'impression que son père cherchait à remplir le temps, de manière tellement désespérée que c'en était presque comique.

Pour ne pas avoir à assister aux allées et venues de son père dans la maison, Mila s'était consacrée à l'atteinte de son objectif numéro 1 : trouver un vélo afin de pouvoir fuir ses parents et partir explorer l'île.

— Des vélos ? avait répondu Ivo, quelques jours plus tôt, alors qu'ils achevaient leurs préparatifs à Rome. Il y en avait, j'en suis sûr. Des bicyclettes Bianchi, que ta mère et moi avions nous-mêmes achetées chez Mario, l'importateur. Ce type était vraiment impayable, tu te souviens, Lucia ? Il était capable de commander n'importe quoi, tout en te recevant dans un minuscule bureau tapissé de photos du calendrier Ferrari.

La mère de Mila avait levé un sourcil amusé et Ivo avait repris :

— Par contre, je ne sais ni où, ni dans quel état elles se trouvent.

Après quelques pénibles et vaines recherches dans le garage encombré de caisses, de cartons, de jeux d'enfants en plastique et d'autres outils plus ou moins piquetés de rouille, Mila les avait finalement dénichées dans un petit appentis situé à quelques dizaines de mètres de la maison. Visiblement, Gina Lombardi n'y avait pas mis les pieds et Mila avait dû se résoudre à flanquer un coup d'épaule pour débloquer la porte, dont les gonds avaient été rendus paresseux par manque d'activité.

Les bicyclettes étaient entassées les unes sur les autres, contre la paroi du fond, derrière des poteries ébréchées et un enchevêtrement de quatre chaises longues en bois massif, que, malgré la saleté, elle reconnut comme étant celles qui figuraient sur les albums photo. Rebutée par la poussière et les toiles d'araignée, elle avait d'abord envisagé de rebrousser chemin avant de constater que de toute façon, son T-shirt et son slim étaient déjà ruinés.

Mila avait donc déplacé les poteries, légèrement inquiète à l'idée de déranger des rats ou autres espèces antipathiques, rongeurs, serpents, insectes rampants.

Mais face aux chaises longues, Mila avait dû se rendre à l'évidence : elle n'arriverait pas à les transporter toute seule. À contrecœur, elle s'était donc résolue à aller chercher de l'aide auprès de son père.

En découvrant les vélos de plus près, Mila avait eu du mal à cacher sa déception. Il ne fallait pas être spécialiste pour comprendre qu'aucun de ces engins ne roulerait plus jamais. Entre les chaînes rouges de rouille, les selles déchiquetées par les rats et les roues voilées, il n'y avait rien qui puisse laisser entrevoir la moindre possibilité de réparation.

Face à sa déconvenue, Mila avait presque eu envie de pleurer. Sans vélo, la donne changeait du tout au tout. Comment allait-elle explorer l'île ? La joie de se retrouver dans cette maison disparaissait largement derrière la perspective alarmante d'y être enfermée avec ses parents. Elle n'avait aucune envie de rester dans leurs pénibles parages, entre la frénésie domestique de son père et l'abattement annuel de sa mère. Ce n'était pas pour rien que depuis trois ans, elle passait l'année scolaire en internat, loin de Rome et du huis clos de leur appartement.

—Viens, avait proposé son père en posant sa main sur son épaule. En attendant de te trouver un vélo, on peut toujours ressusciter ces chaises longues.

Sur les quatre, ils n'en avaient remonté et nettoyé que trois.

Une chaise vide sur la terrasse était une vision qu'il fallait absolument éviter.

4

Mila avait un peu honte de l'admettre, même si c'était clair pour elle : elle avait toujours préféré son père.

Petite, elle était capable de passer des heures à la verrerie, au milieu des outils aux noms étranges qu'elle faisait rouler dans sa tête, tel un sortilège – bardelles pinces à détacher fer à col pontil ferret tournettes –, fascinée par l'assurance avec laquelle son père enfonçait sa canne dans le four comme une épée dans la gueule d'une bête sortie des Enfers.

Assise sur un petit tabouret tiré spécialement pour elle à l'écart de la chaleur, à proximité des pots qu'elle imaginait remplis de poudres et autres philtres magiques, elle observait en silence, s'imprégnant des gestes précis que son père répétait.

À première vue, on pouvait croire qu'ils ne suivaient pas d'ordonnancement précis, qu'ils s'enchaînaient un peu au hasard, en fonction de l'envie du souffleur. Mais bien avant que son père ne le lui explique, Mila avait compris que ce genre de sorcellerie ne s'accommodait pas de l'à-peu-près.

D'abord, ouvrir le four à pot et y plonger la longue canne, pour cueillir la petite boule devenue rouge de feu. Parer la masse encore souple sur le marbre, avant de la glisser à nouveau dans la gueule brûlante. La ressortir rapidement et la rouler dans les grains colorés de cobalt, d'or ou de fer. Puis le four à nouveau, avant de porter la canne à la bouche et de souffler, souffler, souffler, pour que la pâte merveilleuse s'enfle et se dilate. Observer. Choisir un outil. Serrer, pincer, modeler, piquer.

Recommencer les mêmes étapes, les infléchir de variations infimes.

Et puis voir naître, sorties de nulle part, les créatures de verre qui la faisaient rêver. D'étranges méduses aux filaments diaprés, flottant dans des bulles transparentes, vivantes et mortes à la fois.

Chaque soir, quand il refermait la porte de sa chambre d'enfant et éteignait la lumière, Mila souriait dans le noir. Son père était un sorcier qui domptait le feu et Mila était la seule à le savoir.

Maintenant qu'elle avait dix-sept ans, la magie avait disparu, mais pas l'admiration qu'elle lui vouait.

Après la mort de Manuele, c'est lui qui avait porté la famille à bout de bras.

Jusque-là, il s'était toujours reposé sur sa femme pour tout ce qui concernait les affaires du foyer, se préoccupant uniquement de la bonne marche de la verrerie.

Après, il avait changé du tout au tout, d'un seul coup. À l'époque, Mila avait onze ans : si le visage de son petit frère s'était totalement effacé de son esprit, certains autres souvenirs, domestiques notamment, étaient encore vifs.

Elle avait vu son père mettre son travail entre parenthèses afin d'être plus présent à la maison, pour sa famille. Pour sa mère surtout, qui, Mila s'en était alors rendu compte, n'avait jamais été quelqu'un de solide. Alors qu'Ivo avait été capable de faire face, celle-ci avait lentement perdu pied, comme un enfant s'abandonne au sommeil, incapable de lutter.

Jusqu'au jour où elle avait ouvert l'armoire à pharmacie.

Ivo avait mis en vente leur petit appartement sous les toits, où tant de jolis moments avaient pourtant été partagés, des anniversaires colorés, des Noëls bruyants, des repas généreux. Il avait géré le déménagement. Des cartons jusqu'au choix du nouveau logement, il avait tout pris en charge, presque militairement. Il était resté avec Lucia lors de son hospitalisation. Après sa sortie, il s'était occupé d'elle presque à plein-temps, s'assurant qu'elle s'alimente suffisamment, qu'elle suive son traitement, qu'elle se rende à ses séances. Il planifiait les sorties, organisait les week-ends et les vacances, pour meubler l'espace et le temps.

Quand Ivo rentrait de l'atelier, Mila le voyait toujours afficher ce même masque de carnaval, un peu trop lisse, un peu trop souriant. Comme si rien ne s'était jamais passé. Comme si leur monde n'avait pas cessé de tourner.

Six ans plus tard, Mila se demandait encore souvent comment son père avait fait pour surmonter tout ça. Il avait forcément dû souffrir. Alors qu'elle, elle avait fini par fuir en demandant à devenir interne, lui était resté sur ses pieds, comme le capitaine d'un bateau par deux fois chaviré. Pour cela, aux yeux de Mila, il était encore un sorcier, avec des poudres miraculeuses qui pouvaient tout solutionner.

Depuis deux ans cependant, Ivo affirmait que Lucia allait beaucoup mieux. Elle n'avait plus besoin de ses pilules blanches, et les séances chez le psychiatre s'espaçaient jusqu'à en devenir presque anecdotiques, aux alentours du mois de juillet exclusivement. Elle avait repris le travail. Elle s'habillait de nouveau, faisait attention à elle. Un peu de fard sur ses joues, une brassée de fleurs sur l'imprimé de ses robes, quelques bijoux fins et discrets qui cliquetaient à ses poignets. Quand elle rentrait de l'internat, Mila ne pouvait pas nier que sa mère s'intéressait davantage à elle, que son père avait à nouveau du temps à lui consacrer. Il lui parlait de l'atelier, de musique, flânait avec elle dans les jardins de la villa Borghese, au milieu des glorieuses fontaines, des carrés de tulipes, des sculptures anciennes et des zigzags hésitants des calèches de location.

Alors, Mila avait cessé d'être enragée contre le monde entier. La colère des premières années avait laissé la place aux regrets et à une profonde tristesse. Pas tellement parce que son petit frère était mort – c'était affreux à dire, mais Manuele ne lui manquait pas : en quelques mois, elle n'avait pas eu le temps de le connaître vraiment –, mais à cause de tout ce qui était arrivé après. Ou plutôt à cause de tout ce qui n'arrivait plus. Les vacances en famille, les pique-niques au lac de Bracciano, les odeurs de pâtisserie dans la cuisine, *Qu'est-ce qu'on prépare ma chérie, un baba au rhum ou des* amaretti ?

Elle aurait tout donné pour qu'on leur rende ce qu'ils avaient perdu. Faute de mieux, elle se réfugiait dans ses souvenirs ou son imagination. Aujourd'hui, Manuele serait peut-être un petit garçon aux cheveux noirs, qu'elle protégerait des comptines débilitantes en lui faisant écouter du rock. Ou au nez de qui elle claquerait la porte, maudissant la terre entière d'avoir à supporter, en guise de frère, le diable en personne.

Une chose était sûre : elle aurait tout donné pour que rien de cela ne soit arrivé.

Mila savait que dans ce cas, elle aurait certainement gardé un peu plus de la fillette rieuse qu'elle était, à l'époque des étés à Lampedusa.

5

Cette fois encore, c'est Ivo qui avait planifié les vacances de juillet. Chaque année, tous trois passaient cette période à l'extérieur de Rome. La Calabre, la Sicile, voire la France ou l'Espagne, quand les années se montraient plus généreuses. La destination importait peu : l'objectif était simplement de changer d'air, de sortir des rues de Rome engorgées de touristes souriants, de familles nombreuses et de poussettes vagissantes.

D'ailleurs, seule Mila parlait de « vacances ».

C'est Ivo qui avait suggéré de venir à la Pointe aux orangers, cette maison dans laquelle il avait grandi. Après avoir passé la plupart de leurs vacances d'été à Lampedusa, ils avaient brutalement cessé d'y aller, après la mort de Manuele. L'île était petite et les langues déliées : ni Lucia ni Ivo n'avaient eu envie de sentir le poids de regards de pitié ou de commentaires affligés. Sans compter que c'est dans l'église du village que Manuele avait été baptisé, à Pâques, en présence de toute la famille. Plus qu'une tradition, c'était une obligation : dans la famille d'Ivo, tous les bébés devaient impérativement être baptisés à Lampedusa. *Nonna* mettait une pression terrible pour que le sacrement intervienne le plus tôt possible, de peur qu'en cas de malheur, ses pauvres petits-enfants ne soient condamnés à errer dans les limbes pour l'éternité.

Depuis, *Nonna* était morte, mais Ivo et ses frères ne s'étaient pas résolus à vendre la maison familiale. Au fil des envies et des emplois du temps, celle-ci continuait donc d'ouvrir ses portes pour accueillir, le temps d'un week-end ou de quelques semaines d'été, les chamailleries des enfants des uns, le besoin de repos des autres.

Entre ces visites, Gina Lombardi venait vérifier que le temps ou les intempéries ne provoquaient pas de dégâts trop sérieux. Elle était la fille d'une très bonne amie de *Nonna*, et Ivo, petit, avait été à l'école du village avec elle.

Quand son père avait évoqué l'idée de retourner à Lampedusa, Mila avait été surprise. C'était la première fois que ses parents reparlaient de passer l'été à la Pointe aux orangers, comme si après la mort de Manuele, tous leurs heureux souvenirs, et entre autres les vacances passées là-bas, n'avaient plus le droit d'exister.

Immédiatement, c'est de l'inquiétude qu'elle avait ressentie. Dans sa petite chambre d'interne, Mila s'était interrogée. S'agissait-il vraiment d'une bonne idée ? Au téléphone, elle avait fait part de ses doutes à son père, les lui livrant comme ils venaient :

— Pour maman, tu es sûr que… Je l'imagine mal passer ses journées sur la plage, en fait. Tu n'as pas peur qu'elle ne se mette à trop penser et qu'elle ne finisse par s'enfermer dans une chambre en fermant les volets ? Et puis il y a l'église… les gens… Toi-même tu dis qu'on parle trop, là-bas… On ne pourrait pas l'emmener en Angleterre, plutôt ? C'est sympa aussi, l'Angleterre. Il y a des tas de trucs à voir, Big Ben, les soldats de la garde royale, les magasins… ce serait plus distrayant.

Mila avait écouté le silence à l'autre bout du combiné. Elle connaissait son père : il était impossible qu'il n'ait pas eu les mêmes craintes qu'elle.

Ivo avait répondu :

— Justement, ce ne serait pas vraiment pour les parties de plage que je pensais y aller. J'ai eu

Gina Lombardi au téléphone. Elle dit que la maison aurait besoin d'un petit coup de frais. À part débarrasser quelques meubles vermoulus, rien n'a vraiment été fait depuis que *Nonna* est morte. Et puis j'ai appelé ton oncle Francesco : il n'y va pas cette année, il ne pourra pas s'en occuper.

— Et ? avait interrogé Mila qui, cette fois, pressentait déjà la suite.

— Eh bien, je pense qu'on pourrait se charger des travaux. Repeindre le salon, nettoyer les rideaux, tailler les orangers, planter des amaryllis, ce genre de choses, quoi.

Un flash avait traversé l'esprit de Mila. Elle s'était imaginée perchée sur la dernière marche d'un escabeau, en compagnie de sa mère au pire de sa forme, toutes deux affublées d'une salopette et d'un fichu à carreaux.

Terrifiant.

— Tu ne seras pas obligée de participer, avait précisé Ivo.

À l'autre bout du combiné, Mila s'était mordillé l'ongle du pouce droit, tout en admirant la capacité de son père à lire dans ses pensées, comme si son crâne était de verre.

Dans ce cas-là, si elle était certaine de pouvoir échapper à la compagnie de ses parents, l'idée n'était pas si mauvaise. Peut-être même bonne, d'ailleurs. Le cœur de Mila avait commencé à s'emballer. Elle brûlait d'envie de retrouver cet endroit. À ses yeux, Lampedusa était l'incarnation parfaite du bonheur de son enfance. Les souvenirs épars qu'elle en avait conservés étaient doux, joyeux, rassurants. C'était l'odeur de l'encaustique, de l'herbe sèche et des pêches mûres, le murmure des vagues et les chants de *Nonna*, le rire de sa mère ou la caresse de l'eau sur sa peau. Avec ses cousins, elle passait la plupart du temps à quelques centaines de mètres de la maison, sur un petit replat de calcaire qui avançait dans la mer comme si la roche l'avait spécialement aménagé pour eux. Ils se jetaient dans l'eau sauvage en baptisant leurs figures de noms évocateurs : la Ferrari, le pet de dragon, la tour de Pise, le curé… Bien sûr, à l'époque, elle avait des bleus aux genoux et deux nattes épaisses de chaque côté de la tête. Maintenant qu'elle avait dix-sept ans, elle se doutait bien qu'elle n'allait pas se contenter de chasser le lézard endémique pour occuper ses journées. Mais elle pourrait visiter l'île, faire ressurgir ses souvenirs.

Oui, il serait agréable de faire revivre ces années.

Avant de raccrocher, Ivo avait ajouté :

— Est-ce que je t'ai déjà dit comment on surnomme Lampedusa ?

— Non, vas-y ? avait répondu Mila.

— L'île du Salut. Cela remonte à des millénaires.

— Je ne savais pas.

— Fais-moi confiance, on va y être bien, tous les trois.

Saafiya, 19 ans

J'ai toujours voulu faire des études.

J'avais des facilités, et d'ailleurs, à tout autre endroit qu'ici, je suis sûre que ces dispositions naturelles m'auraient offert un avenir.

Plus jeune, j'avais trouvé une photo de l'université d'Asmara dans un coin de journal que le sirocco avait fait s'échouer sur mes mollets. J'avais déplié le papier sali, et là, abrutie par le soleil de midi, j'avais plongé dans les mots comme dans la mer qui rafraîchit.

J'étais rentrée en courant, la tête encore plus haute que d'habitude. Dans ce naufrage de papier, j'avais vu un signe. En prenant ma mère, ce pays m'avait volé tout ce que je possédais. Mais moi, l'orpheline, je venais de comprendre comment j'allais prendre ma revanche. J'irais à l'université. Je deviendrais quelqu'un, ici, en Érythrée.

Je réussirais. Je vengerais ma mère en m'offrant le succès qui l'aurait rendue fière.

*Avec un peu d'eau, j'avais délicatement débarrassé le feuillet des plus grosses taches de terre et je l'avais fait sécher sur une pierre propre, derrière les murs de l'*hidmo[6] *de mon oncle. Puis je l'avais découpé et soigneusement rangé sous mon matelas de mousse. De temps à autre, je ressortais le cliché et je comptais le nombre d'années qu'il restait avant que la photo ne prenne les couleurs de la réalité. Quitter ce village et aller vivre dans la capitale, Asmara. Marcher sur Mai Bela Avenue, gravir les quelques marches menant au bâtiment, me réjouir du poids des livres dans mes bras. Arborer un uniforme – on portait forcément un uniforme à l'université d'Asmara – marqué du fameux blason jaune et bleu que sur le sol j'avais dessiné à mille reprises. Étudier pour avoir un bon métier, un bon salaire. Vivre dans l'une de ces maisons italiennes bordées de bougainvilliers que j'avais vues, une fois, lorsque j'étais allée en ville.*

Quand un accès de rage m'emportait, je m'imaginais générale en chef de la prison de Wi'a. Aux premières heures d'un matin rose, j'aurais convoqué tous les gardiens. Je les aurais fait mettre en rang d'oignons dans une pièce borgne. Je les aurais observés

6. Maison traditionnelle de certaines régions d'Érythrée.

en souriant. Longtemps, sans rien dire. Avec le plaisir de l'anticipation.

Et puis quand j'en aurais eu assez, je me serais approchée du premier. À l'oreille, je lui aurais ordonné de planter son poignard dans les entrailles de son voisin.

J'aurais reniflé l'odeur de la surprise, de l'incrédulité, puis de la terreur, quand ils auraient compris que dans tous les cas, ils ne s'en sortiraient pas.

Je les aurais regardés mourir, un par un, soulagée. Comme une bête rassasiée. Parmi eux se trouvaient celui ou ceux qui avaient tué ma mère.

Quand la colère dormait, je me rêvais professeur d'anglais. J'avais une excellente mémoire et des dispositions pour les langues : outre l'anglais, je parlais aussi le tigrinya[7]*, l'arabe, et bien entendu l'amharique*[8]*, même si je taisais ce qui pouvait rappeler les origines éthiopiennes de ma mère, qui lui avaient valu sa perte.*

Et puis les jours, les semaines, les mois ont passé. Et je me suis cognée au plafond de ciment qui barre notre dix-huitième année. Mes rêves ont rétréci en même temps que mon corps a grandi.

Je n'irais nulle part sans être passée à Sawa. L'inscription à l'université y était conditionnée. Tout

7. Langue officielle d'Erythrée, avec l'arabe et l'anglais.
8. Langue parlée en Éthiopie.

y était conditionné, depuis que le gouvernement avait ajouté cette douzième année d'études au cursus obligatoire. Aucun laissez-passer n'était plus délivré à ceux qui n'y avaient pas effectué leur service. Ne pas s'y soumettre était un délit, et supposait de rester caché pour le restant de sa vie, sous peine de se faire emprisonner.

Les chuchotis étranglés de ceux qui en revenaient circulaient derrière les portes des maisons comme un vent mauvais, s'insinuant dans les esprits, rappelant des souvenirs aux uns, suscitant l'angoisse des autres.

On m'avait prévenue : à Sawa, je n'étudierais ni les mathématiques, ni la géographie, les langues ou les sciences. Sawa était un immense camp militaire dont l'État se servait pour embrigader toute une classe d'âge, endoctriner les plus faibles ou les plus résignés et repérer les fortes têtes ou ceux qui auraient pu se dresser contre lui.

J'y apprendrais à devenir docile. À courber l'échine. À accepter l'arbitraire sans discuter, redouter le « Otto », le « Jésus-Christ »[9], les containers de tôle abandonnés au soleil brûlant dans lesquels on enferme ceux qui ne marchent pas assez droit. J'y apprendrais à manipuler les armes, sous une chaleur torride et les aboiements des soldats. Discipline. Allégeance au Parti-État.

9. « Otto » et « Jésus-Christ » sont deux appellations désignant des méthodes de torture.

Et puis un jour, j'allais percer le plafond de ciment. Mais une fois de l'autre côté, tout serait gris. J'aurais désappris les projets, les rêves, l'espoir. J'aurais désappris la vie.

À seize ans, la lucidité avait fini de lessiver mes rêves de réussite sociale, mais ma rage et mon insoumission étaient restées intactes. Il était hors de question que j'enfile la camisole que le gouvernement voulait m'imposer.

En premier lieu, je me suis juré d'éviter Sawa. Jamais je n'irai vérifier s'il était vrai qu'on pouvait vous lier les mains dans le dos et vous laisser au soleil et aux insectes, le visage enduit de miel blond.

Alors, comme beaucoup d'autres, j'ai abandonné l'idée de m'inscrire à l'université. De toute façon, à quoi des études m'auraient-elles servi ? J'avais compris que je ne serais jamais libre de choisir mon métier, puisque c'est le gouvernement qui allait en décider. Mener des études brillantes m'aurait propulsée tout droit dans les bureaux du Parti, voire au cabinet du Président. Obtenir des résultats médiocres m'aurait conduite dans des emplois subalternes ou difficiles, sur des chantiers de construction, dans des ports ou à faire des ménages, voire sous le ventre des soldats. Quelle que soit la tâche, j'allais travailler pour le compte de l'État jusqu'à mes quarante-sept ans, âge légal auquel je serais peut-être démobilisée, mais trop vieille et abîmée pour espérer commencer à vivre.

« Awet n'hafach[10] *! » entend-on ici. Mais on n'a ni pain, ni travail, ni liberté. Où est la victoire ? Où est la vie ?*

Je n'ai pas tout de suite pensé à fuir.

Avec le recul, je ne sais pas si c'est simplement parce que je n'y ai pas pensé, ou bien parce que, malgré mes béquilles de rage, je savais que la fuite était l'entreprise des désespérés. Il était déjà difficile de circuler hors de la zone géographique à laquelle vous êtes assigné, alors quitter le pays… Personne ne peut sortir du territoire sans l'« exit visa » délivré par le Parti. Pour aller vivre ailleurs, il m'aurait fallu devenir l'une de ces clandestins dont les cadavres desséchés jonchent le Sahara. La mort allait me guetter, me traquer, depuis les zones interdites de la frontière érythréenne jusqu'au Soudan, en Libye et sur la mer Méditerranée. J'allais subir l'attente, la peur, la faim, le froid. Il faudrait éviter les Rashaidas, les Bédouins du Soudan qui kidnappent les migrants pour alimenter leur réseau de trafic d'organes. J'allais devenir une ombre.

Alors j'ai utilisé les moyens qui étaient à ma portée.

---

10. « Victoire aux masses ! » en tigrinya.

J'ai voulu tomber enceinte. Les mères allaitantes étaient dispensées d'effectuer leur service, et je me disais que par la suite, avec une ribambelle d'enfants à mes côtés, on finirait par m'oublier. Ce n'était pas tout à fait la vie dont j'avais rêvé, mais avec de la chance et de la détermination – ce dont je ne manquais pas –, mes enfants et moi pourrions peut-être nous faire rapatrier en Éthiopie avec un convoi de la Croix-Rouge. Je n'y avais jamais mis les pieds, mais je me disais que la vie y était forcément plus facile qu'en Érythrée. Là-bas, j'aurais peut-être eu une chance d'être professeur d'anglais.

J'avais repéré un garçon qui me paraissait faire parfaitement l'affaire. Ses gestes étaient doux et il venait d'avoir dix-sept ans : sa conscription prochaine me garantissait que je n'aurais pas à supporter sa présence trop longtemps.

Je l'ai séduit avec une facilité déconcertante.

Chaque jour, nous nous retrouvions derrière une colline pierreuse et, à l'ombre d'un sycomore, son corps donnait au mien l'espoir dont il avait besoin.

Au bout de huit mois, mon ventre n'avait toujours pas enflé. J'ai pensé que cet imbécile n'avait pas ce qu'il fallait pour faire pousser les enfants dans le corps des femmes.

J'ai couché avec d'autres garçons. Dix, vingt, cinquante. Je les choisissais de préférence loin de chez moi, aussi loin que mon laissez-passer m'y autorisait, pour ne pas attirer le déshonneur sur la maison de mon oncle, loin aussi des barrages des soldats, pour ne pas me faire repérer. Au fond, j'aurais pu devenir la pute du village que je n'en aurais pas eu honte. Et puis je n'étais pas la seule à en être réduite à ce genre d'extrémités.

J'avais développé une espèce de manie qui, à l'approche du vingt-huitième jour, me faisait vérifier du bout des doigts, et sans que quiconque ne s'en aperçoive, que le sang n'était pas là. Chaque jour sans couleur me remplissait d'un espoir jamais découragé, jusqu'à ces matins, ces après-midi ou ces nuits où je sentais le malheur, la rancœur se répandre entre mes cuisses.

Mon ventre est resté sec comme un arbre mort.

Pour échapper à Sawa, j'aurais pu me crever les yeux – un Témoin de Jéhovah d'un village voisin l'avait fait –, me couper un pied. Mais je n'y arrivais pas. Ce n'était pas moi. Ce n'était pas la façon dont je voulais gagner.

Finalement, j'ai saboté ma scolarité.

À partir de la neuvième année d'études, j'ai tout fait pour arrêter le temps.

Je ne me présentais pas aux examens ou bien, ravalant ma fierté, je me forçais à répondre n'importe quoi. J'ai réussi à redoubler trois fois. Mon professeur, une jeune femme douce aux yeux étrangement clairs, me laissait faire sans rien dire. Elle avait compris. Un soir, elle m'avait soufflé :

— Je ne pourrai pas te faire redoubler indéfiniment, Saafiya. Tu sais qu'ils nous surveillent aussi. Et puis, un jour ou l'autre, ils finiront par t'emmener. Les murs des écoles n'ont jamais arrêté les giffas.

Je savais bien qu'elle avait raison, mais je n'avais rien trouvé d'autre. Chaque matin, je me levais en priant pour qu'aucune rafle ne se produise à l'école. On racontait que les soldats s'engouffraient dans les classes et embarquaient tous ceux qui paraissaient avoir l'âge d'aller à Sawa. Et chaque soir, je courais désespérément les pierriers à la recherche d'un garçon. Je m'écorchais les jambes dans les cactus et les arbustes décharnés, je salissais mes jambes sur les chemins rouges. Je n'avais pas renoncé à l'enfant libérateur. Pourquoi ne venait-il pas ? Quel genre de fille fallait-il que je sois pour ne pas être capable d'enfanter ? Quatre de mes amies avaient déjà le ventre arrondi.

Je ne sais pas lequel des mouchards du village m'a dénoncée. Ils sont nombreux, les vétérans de la guerre d'indépendance, à vivre pour le Parti. Je soupçonne le vieux Asfalidet. Ce vieux serpent crachait sur mon passage et m'appelait « face de chat[11] *» ou*

11. Insulte courante en Érythrée, où le chat est particulièrement déprécié.

« l'Éthiopienne », alors qu'il savait très bien que j'étais née en Érythrée.

Les soldats m'ont embarquée pendant la cérémonie du café. Nous venions à peine de commencer.

Assise sur le sol, ma tante faisait griller les grains verts sur le menkeshkesh, *le petit poêle utilisé à cet effet. L'odeur du café se mêlait à celles des feuilles d'eucalyptus et de la poudre d'encens que l'on avait mise à brûler à côté. Les yeux fermés, je me laissais bercer par les discussions des femmes.*

Quand j'ai entendu le grondement de la Jeep, j'ai su que c'était pour moi.

Il y a des moments où vous sentez que tout bascule. L'instant d'avant, le ciel est dégagé, à peine parcouru de quelques nuages blancs qui filent sous votre nez. Et puis, d'un seul coup, sans que vous n'ayez rien vu venir, le ciel s'est transformé en forteresse de nuages.

Je me suis levée d'un bond, j'ai renversé la jebena[12] *et le plat en terre cuite, les* embabas *ont roulé sur le sol, petites boules blanches de maïs soufflé, comme autant de fleurs sucrées que personne ne mangerait. J'ai foncé en direction de la porte d'entrée. Je savais que c'était inutile, mais je ne voulais pas me laisser attraper sans lutter.*

---

12. Récipient en céramique utilisé pour la cérémonie du café (Éthiopie, Soudan, Érythrée).

Dans le fourgon, il y avait cinq autres jeunes de mon âge. Je n'ai plus jamais bu de café.

Pendant le premier mois, j'ai été violée deux fois. Une fois parce que l'un des soldats avait pointé l'origine éthiopienne de mon prénom. Une seconde fois pour l'exemple. Ils étaient neuf.

Ensuite, une ancienne m'a dit comment procéder.

« De toute façon, tu sais que tu ne peux pas y échapper. Alors fais-leur toi-même des avances. Tu auras un peu l'impression de décider. »

Pour tout le reste, j'ai lutté. Je ne voulais pas les laisser gagner. Je ne voulais pas baisser les bras, me couler dans le système et devenir ce qu'on attendait de moi, trahir le souvenir de ma mère.

C'est là-bas que j'ai pris ma décision.

Ce n'est pas moi qui allais changer ce qui était. La seule possibilité était de faire avec, pour me construire un futur.

Alors, quand ma conscription serait terminée, je me laisserais affecter et je travaillerais sur le chantier, dans le bureau, le magasin, quel que soit l'endroit qu'ils désigneraient pour moi. J'afficherais le visage de la résignation.

Mais dans le secret de mon âme, je ne vivrais plus désormais que pour préparer ma fuite.

6

Il était 22 heures, peut-être plus, peut-être moins. Dans la maison, l'unique horloge ne fonctionnait plus depuis longtemps, ce qui ne posait pas de problème à qui que ce soit. La nécessité de faire réparer la pendule avait certes été évoquée, mais c'était plus en raison de la valeur de l'objet – le seul ayant traversé les siècles sans dommage – que dans le but de s'en servir. Ni Mila, ni Ivo, ni Lucia ne ressentaient le besoin de découper le temps : même avant, leurs vacances avaient toujours été ainsi, sans contrainte d'aucune sorte. Ils se réveillaient, mangeaient et s'endormaient uniquement quand ils en avaient envie, et non lorsque les aiguilles le leur suggéraient.

Mila était assise sur l'une des trois chaises longues, le menton posé sur ses genoux repliés, face au ciel marbré de fulgurances orangées. Elle avait tiré le fauteuil jusqu'à l'extrême bord de la terrasse, comme au théâtre, lorsqu'on se place au premier rang pour mieux profiter du spectacle. À côté d'elle, la marionnette de sa chambre dont elle avait démêlé les fils était allongée, raide dans son armure qui ne brillait plus par endroits. Au loin, le soleil s'enfonçant progressivement dans la mer ressemblait à la boule rougeoyante que son père cueillait au bout de sa canne de verrier.

Machinalement, elle souleva les bras de la marionnette. Comment allait-elle occuper sa prochaine journée, ainsi que toutes celles qui suivraient ?

Elle avait certes retrouvé un endroit sublime, aux couleurs, aux odeurs, aux sons plus intenses que ce dont elle se souvenait : la beauté abrupte des falaises, les bleus parfaits de la mer, le silence africain de la Pointe aux orangers et de cette maison dans laquelle rien de mal ne semblait jamais pouvoir arriver.

Mais si elle ne pouvait échapper à la présence de ses parents, même ce décor paradisiaque devenait étouffant.

Cela faisait cinq jours qu'ils étaient arrivés sur l'île. Entre l'installation, la redécouverte de la maison, le pèlerinage sur la tombe de *Nonna* et les différentes courses au village, le premier avait filé sans que Mila ne le voie passer. Avec ses minuscules boutiques colorées, ses bars animés et son port résonnant des harangues des pêcheurs, le centre-ville de Lampedusa s'était avéré plein de promesses. Et elle se languissait de retourner y flâner.

Le deuxième jour, elle s'était levée à l'aube, avant que ses parents ne soient réveillés. Elle était descendue jusqu'au repaire de son enfance, surprise de constater à quel point ses pieds avaient gardé la mémoire du chemin. La petite plage de roche était proche de la maison, il suffisait d'un peu d'adresse et de souplesse pour s'inventer un escalier dans les multiples anfractuosités calcaires. Elle était rentrée dans la paresse du soir, la peau salée et l'humeur déjà vaguement mélancolique. Sans ses cousins et la fantaisie de leurs jeunes années, l'endroit avait perdu de son intérêt.

Le lendemain, elle avait tenté de rejoindre le village, de s'aventurer plus loin que cette plage de roche qui, elle aussi, avait franchement rétréci depuis six ans. Mais la chaleur était telle qu'à pied, l'entreprise avait plus tenu du calvaire que de la balade.

Alors les journées avaient commencé à s'étirer, jusqu'à devenir lentes et décolorées. Mila se sentait frustrée. Elle voulait partir à la rencontre de Lampedusa, la sillonner de long en large, tout voir, tout sentir, tout entendre. Sans compter que l'isolement commençait à lui peser. L'activité de Lampedusa se concentrait en quelques points desquels la maison était éloignée, et elle ne croisait personne. Pas même une famille sur un voilier, une troupe d'enfants bagarreurs ou des villageoises avec qui elle aurait pu parler.

Elle avait besoin de distraction, d'inconnu, de liberté. Coincée entre la maison et l'extrémité de la pointe, elle avait l'impression d'être prisonnière d'une affiche du *SuperEnalotto*[13], qui placardait les rues de Rome d'îles paradisiaques pour mieux vendre ses tickets. On avait fait de l'île déserte le symbole du bonheur ultime, alors qu'en réalité, l'isolement et le manque d'espace vous condamnaient à vivre enfermé à l'intérieur de vous-même, avec vos pensées. Et celles de Mila achoppaient toujours au même endroit : le désir illusoire que tout soit différent.

Si sa mère n'avait pas avalé ces médicaments…

Si son frère avait été soigné par un autre médecin…

Ou même, s'il n'était pas né… Tout serait tellement…

13. Loterie nationale italienne.

Ses parents avaient bien proposé de la conduire à travers l'île. Mila avait refusé. Elle avait tout sauf envie de partager ses découvertes avec eux. Et de toute façon, elle ne voulait pas les détourner des travaux dans lesquels ils s'étaient lancés. La date anniversaire de la mort de Manuele approchait et Mila était déjà soulagée que la paix relative du visage de sa mère ne se soit pas encore dissipée.

Une fois que la mer eut fini d'engloutir le soleil, Mila attrapa délicatement la *pupi* et pénétra dans la maison. Traverser le salon vidé de ses meubles lui procura une sensation étrange, comme si elle n'aurait pas dû s'y trouver, comme si elle avait forcé l'entrée d'un endroit, nu, vulnérable, sans défense.

Dans la cuisine, elle découvrit sa mère occupée à trancher une boule de mozzarella, tandis qu'Ivo plongeait des tomates dans une casserole d'eau frissonnante. Il prétendait que ne pas ôter la peau des tomates dans une salade *caprese* était une pure hérésie. « Une habitude de Français. »

— Hey, Mila ! lança Lucia en apercevant sa fille à l'entrée de la cuisine.

Elle l'observa une poignée de secondes avant de poser son couteau sur le plan de travail carrelé. Elle s'essuya les mains sur un tablier de toile légèrement jauni, bordé de fine dentelle, dans lequel *Nonna* préparait les *linguine* à l'encre de seiche, les pizzas et autres rougets farcis dont Ivo leur rebattait régulièrement les oreilles.

— Je vois que tu as réussi à redonner une seconde vie à cette marionnette. Bravo ! Elle était en piteux état.

— Mmh, acquiesça Mila. Il faudrait la repeindre, aussi. Unijambiste et borgne, ça fait beaucoup pour un seul chevalier.

Lucia tourna la tête vers son mari. Une mèche parcourue de quelques fils d'argent s'échappa de la torsade de ses cheveux, retenus par un simple crayon.

— Ivo, est-ce que tu as rappelé le loueur de voitures pour voir s'il avait des vélos disponibles ? Il faut vraiment que l'on s'en occupe. Mila ne va pas passer toute cette période coincée dans la maison.

Mila détourna le regard sur la marionnette. Sa mère avait le sens du familialement correct. Elle avait utilisé le mot « période » et non « vacances ».

— Oui, je lui ai téléphoné ce matin. Pour l'instant, tous ses vélos sont loués. Il fallait s'en douter, tu parles, on est en pleine saison touristique. Il ne lui reste que des tandems. Normalement, il devrait avoir des retours de vélos dimanche prochain, je lui ai demandé de nous en réserver un.

Lucia enchaîna :

— Dimanche prochain ? Cela fait quand même une semaine à attendre… Les vélos de l'appentis, ils sont vraiment en si mauvais état que ça ? On ne peut pas les réparer ?

Ivo haussa les sourcils en signe de dénégation. Tout en se débarrassant d'un lambeau de tomate qui lui collait au poignet, il déclara :

— Franchement, c'est peine perdue. Cela nous coûterait plus cher que d'en racheter un neuf.

Mila avisa un petit bol en grès, craquelé de nervures sombres, dans lequel luisaient quelques olives à la sicilienne. Tandis qu'elle en piochait une, une idée lui traversa l'esprit :

— Peut-être que Gina Lombardi en aurait un à nous prêter ?

Lucia se passa la main dans les cheveux, au péril de l'équilibre de son chignon. Elle hocha la tête.

— Excellente idée ! C'est vrai, pourquoi n'y a-t-on pas pensé plus tôt ?

Elle ôta le crayon qui ne retenait plus grand-chose de sa longue chevelure sombre.

— On va l'appeler. Ivo, tu pourras t'en charger ? Je n'ai pas vraiment envie de discuter avec Gina.

7

Gina Lombardi avait fait bâtir sa maison au sud-est de l'île, sur une parcelle de terrain héritée de ses parents. Pour se rendre chez elle, il n'y avait qu'une possibilité de route, celle qui traversait le village.

C'était jour de marché : la place centrale fleurissait de toiles colorées sous lesquelles Mila, réjouie, devina des étals bosselés de fruits, de grappes de *caciocavallo*[14] joufflus ou de poissons dont les ventres d'argent faisaient scintiller le soleil de midi. Devant les tréteaux, les clients tâtaient les tomates ou inspectaient les ouïes d'un œil exercé. Certains semblaient lancés en pleine conversation et Mila se prit à en imaginer l'objet. Elle se plut à penser que dans une île telle que Lampedusa, il ne pouvait

14. Fromage à base de lait de vache, de forme ronde ou en poire.

s'agir que de conversations légères, estivales. Cette femme en blouse à carreaux devait négocier un rabais sur le kilo d'anchois. Ce vieux-là, avec sa casquette de guingois, devisait certainement sur le temps qu'il faisait aujourd'hui ou qu'il ferait demain.

— On s'arrêtera en rentrant, fit remarquer Ivo tandis qu'ils avançaient au pas, pris dans les embouteillages. On achètera des rougets pour ta mère, je t'assure qu'il n'y en a pas de meilleurs qu'ici. Juste avec des poivrons rouges, un trait d'huile d'olive et du citron. C'est comme ça que *Nonna* les préparait. Est-ce que tu te rappelles ?

Mila secoua la tête, qu'elle avait tournée à la fenêtre. Elle était en train de songer qu'avec un peu de chance, c'est surtout sur deux roues qu'elle rentrerait. Elle proposa :

— Je pourrais m'arrêter à vélo pour faire les courses. Je prendrais des cerises, aussi. Et des *cannoli*[15] à la ricotta.

Ivo carra ses épaules au fond du fauteuil.

— Ça marche, mais je m'occupe du poisson. Tu prendras le reste. Je vais te laisser de l'argent.

La circulation reprit, avant d'être à nouveau contrariée par une camionnette trois roues qui,

15. Pâtisserie sicilienne typique, formée d'une croûte de pâte enroulée autour d'une farce crémeuse et sucrée.

stationnée devant un petit restaurant autoproclamé « meilleure table de l'île », déchargeait des caisses de bières Moretti. Mila ne put s'empêcher de se retourner pour observer l'automobiliste, derrière eux, qui klaxonnait et vociférait à la portière, le cou tendu comme un taureau sur le point de charger.

« Bouge ton cul ! »

« Ta gueule, je bosse, moi ! »

— Ça ne nous change pas tellement de Rome, pointa Ivo, amusé.

Un peu plus loin, c'est devant d'autres bâtiments qu'il ralentit, délibérément cette fois : une école bordée d'oliviers sous lesquels des générations d'enfants avaient dû comploter, un presbytère aux balcons ouvragés, un terrain de foot écrasé de soleil. Il commença à s'animer au souvenir de ces lieux qui lui rappelaient son enfance, comme on aime rapporter des anecdotes personnelles, des morceaux de soi, sans se soucier de leur intérêt ou de celui que l'auditoire leur porte.

Cependant, Mila l'écoutait avec plaisir. Il y avait vraiment quelque chose de particulier ici. Elle ne se rappelait pas avoir déjà ressenti cela. Ce n'était pas simplement parce que le décor était superbe, ou parce que Lampedusa lui semblait être une enclave hors du monde, sereine et tranquille. Il y avait autre chose, quelque chose de plus évident, presque instinctif. Peut-être était-ce parce qu'elle avait ses racines, sur cette île.

Elle avait hâte d'être chez Gina. Avec la possibilité de se déplacer, tout serait enfin comme elle l'avait espéré.

La famille Lombardi habitait une maison neuve, plutôt dénuée de charme, pas très loin de la pointe Guitgia, dont la vue était barrée par un hôtel rectangulaire, comme une caserne parachutée par erreur dans un décor de carte postale.

Mila fut étonnée. Était-il normal que l'on laisse à ce point défigurer le littoral ? Le maire n'avait-il pas son mot à dire ? Cela lui rappela leurs vacances en France, l'année précédente. Ils avaient loué une maison dans un adorable petit village de l'arrière-pays niçois, où ils avaient constaté qu'il était impossible de trouver une épicerie. Tous les commerces avaient été remplacés par des agences immobilières ou des galeries de peinture ne proposant pas la moindre croûte bariolée à moins de quelques milliers d'euros.

Visiblement navré, Ivo secoua la tête.

— C'est sûr que quand j'étais gosse, il y avait moins d'hôtels. En même temps, la situation n'est pas si simple. Tu as vu l'état des routes, par endroits ?

Et sur l'île, il n'y a même pas d'hôpital. Ici plus qu'ailleurs, il n'y a bien que le tourisme qui permet aux habitants de vivre.

Gina Lombardi les accueillit sur le pas de la porte. Ni petite ni grande, ni mince ni replète, ni ingrate ni jolie : en la voyant, Mila fut d'avis qu'une incroyable banalité estompait toute sa personne. C'était le genre de femme qu'on ne remarquait jamais dans les dîners, dont on avait du mal à se rappeler le prénom ou dont on entendait les réponses sans les écouter vraiment. Mila aurait eu à en écrire le portrait qu'elle n'aurait pas su comment s'y prendre.

Gina embrassa chaleureusement Ivo avant de se reculer pour détailler Mila de la tête aux pieds, examen qui embarrassa légèrement la jeune fille. Elle n'était pas spécialement mal à l'aise avec son image, mais elle ne voulait pas que ce regard inquisiteur s'accroche sur ce qui lui déplaisait en elle. Ses cheveux trop raides. Et ces centimètres qui lui manquaient – comme si depuis ses onze ans, elle avait brutalement cessé de grandir.

– *O mio Dio*, que tu es ravissante !

Gina pivota vers Ivo.

– Elle ressemble à Lucia, non ?

Aussitôt, les coins de sa bouche s'affaissèrent. Elle posa la main sur l'épaule de son interlocuteur et s'enquit, d'un air profondément affecté :

— Elle n'est pas venue avec vous ? Comment va-t-elle maintenant ?

Il n'en fallut pas plus à Mila pour décider qu'elle n'aimait pas Gina. Elle se mordit l'intérieur des joues. Elle supportait difficilement cette contrition feinte que certaines personnes semblaient se mettre en devoir d'afficher dès qu'elles parlaient de sa mère. Sûrement parce que cela mettait en lumière ce qu'elle s'efforçait d'oublier.

Elle détourna le regard du visage de Gina. La curiosité qu'elle y lisait lui donnait envie de distribuer des gifles.

Ivo avait dû le sentir également. Il se débarrassa brièvement de la question de Gina puis changea habilement de conversation, la remerciant pour l'accueil qu'elle leur avait réservé :

— Les fleurs et les boissons fraîches dans le réfrigérateur n'étaient pas dans le contrat, vraiment, merci mille fois, Gina.

— Je t'en prie, cela m'a fait plaisir. Tu sais, je suis contente que vous soyez venus passer quelques semaines à Lampedusa. Tu sais ce que l'on continue à dire, l'île du Salut !

Elle marqua une pause, avant d'afficher un sourire sincère sur la banalité de ses traits.

— Allez, suivez-moi, je vais vous offrir un verre.

Gina les conduisit à l'arrière de la maison, où quelques oliviers en pots tentaient bravement d'ombrager une terrasse dont les carreaux décuplaient la chaleur du soleil.

Tous trois se refugièrent sous un large auvent vert et fuchsia où se concentrait également tout le mobilier d'extérieur : un canapé aux motifs criards, une table basse semée de sets de table représentant le drapeau de la Sicile, quelques coussins rayés et de grandes jarres remplies de faux tournesols.

Quand la conversation autour des travaux fut épuisée, Gina s'excusa et disparut dans la maison. Elle en revint quelques instants plus tard, précédée d'un plateau en plastique sur lequel s'entrechoquaient des verres et un pichet de citronnade. La conversation repartit sur leurs souvenirs communs, et Gina embraya sur tout ce qui, malheureusement, avait changé à Lampedusa :

— En fait, ce qui nous inquiète vraiment, c'est surtout ces…

Mila n'entendit pas la suite. Il faisait si chaud, sous cet auvent fuchsia. En pensée, elle s'était déjà échappée. Avec son vélo, elle commencerait certainement par aller se baigner dans l'une des petites criques turquoise dont la couleur l'avait frappée, lorsqu'ils les avaient survolées en avion. L'eau devait y être délicieusement fraîche. Mais il y avait encore beaucoup d'autres choses à voir. En croisant ses souvenirs avec les informations de la carte de l'île, elle avait identifié plusieurs endroits où elle voulait passer du temps : la célèbre plage des lapins, le centre de soins des tortues de mer, le calvaire au sommet…

— Mila ? Mila !

Ivo l'interpellait doucement, comme si elle était une petite chose fragile qu'il ne voulait pas brusquer.

— Mmmh ?

— Gina était en train de te demander si tu voulais encore de la citronnade.

— Euh, oui, merci !

Mila tendit son verre vide à Gina, tandis que celle-ci commentait :

— En ce moment, j'ai Paola, ma nièce de Milan. Elle vient pratiquement tous les étés. Depuis deux ans, elle en profite pour se faire un peu d'argent pour financer ses études. Elle a obtenu son *Maturità*[16] l'année dernière. Et maintenant, elle fait les

16. Équivalent italien du baccalauréat.

beaux-arts. Elle s'est mis en tête d'être céramiste. Céramiste !

Elle accompagna cette dernière précision d'une mimique appuyée à l'intention de son auditoire, comme s'il était acquis que tout le monde partageait son point de vue sur la question.

Une lueur d'hésitation traversa les yeux de Gina, qui se ravisa soudain. Mila se dit qu'elle venait certainement de réaliser son manque de tact. Critiquer le monde des arts en face d'un verrier – même Ivo, qui, Mila le savait, serait plutôt du genre à s'en amuser – n'était peut-être pas très approprié.

– Enfin, je ne veux pas dire que ça ne mène à rien, mais bon, tu vois, ce n'est pas facile de percer dans les métiers artistiques, alors comme j'ai dit à sa mère, ce serait peut-être mieux qu'elle fasse quelque chose de plus sérieux… Enfin, de moins…

Elle attrapa brusquement son verre de citronnade, qu'elle avala pratiquement d'une traite. Puis elle le claqua sur la table et, s'adressant à Mila, ajouta :

– Enfin bref. Ce que je voulais dire, c'est que vous pourriez peut-être faire connaissance, Paola et toi. Le matin, elle travaille dans une pâtisserie du village. Le Costa, via Mazzini, tu vois où ça se trouve, Ivo ? Tu sais, quand on était petits, à la place, il y avait une quincaillerie. Le propriétaire est parti quand il a trouvé le fils Di Marzo en train de s'affairer dans l'arrière-boutique. Avec sa femme.

Elle émit une sorte de coassement étranglé avant de remplir à nouveau les trois verres, se recentrant sur la conversation :

— Ils font aussi traiteur, depuis deux ou trois ans. La patronne est une vraie commère mais il faut bien admettre qu'ils font les meilleurs *arancini*[17] de toute l'île. Paola termine vers 13 heures. L'après-midi, je ne sais pas trop ce qu'elle fait, je crois qu'elle va à la plage avec des amis. En tout cas, elle connaît Lampedusa par cœur. Mila, ton père m'a dit que tu voulais te balader ? Paola pourra te montrer tout ce qu'il y a à voir.

Mila acquiesça poliment. Mais elle n'aimait pas tellement les rencontres arrangées de la sorte, qui lui semblaient forcément gauches, maladroites. Elle se voyait mal entrer dans la boulangerie, commander des *arancini* et demander à Paola si elle pouvait s'incruster dans sa bande d'amis.

Gina se leva brutalement et tapa ses mains sur ses cuisses.

---

17. Sorte de boulettes de riz farcies de viande à la sauce tomate et de petits pois.

— Allez, assez bavardé. Tu dois avoir envie de voir ce vélo. Allons vérifier qu'il est bien à ta taille.

Elle lui lança un petit clin d'œil fardé de bleu :

— À toi la liberté !

Amanuel, 18 ans

Y en a qui disent que la liberté, ça s'improvise pas.

Ils préparent ça pendant des mois, voire des années.

Le moins difficile d'abord. Choisir la frontière : nord ou sud ? Montagnes ou plaines minées depuis la guerre ? Soudan ou Éthiopie ? Pile ou face ?

Ensuite, trouver l'argent pour établir de faux laissez-passer. Économiser, nafka après nafka, taper de l'argent à la famille et à ceux qui sont déjà de l'autre côté, piquer dans la caisse du magasin ou du bureau, ou fouiller la maison du vieux d'à côté, n'importe qui, n'importe où. Racketter les moins forts que soi. C'est chacun sa vie, chacun sa merde.

Contacter un passeur en évitant ces connards de mouchards. Négocier le prix. Trouver encore du fric pour le payer. Ne pas se faire entuber. Ou décider de passer la frontière en ne comptant que sur sa pauvre pomme de désespéré.

Profiter des dernières soirées avec son père et sa mère. Faire semblant d'apprécier le gored-gored[18] *qu'elle a préparé alors que dans ton bide, ton estomac serré a juste envie de tout renvoyer. S'enfiler une bière par-dessus, pour faire descendre. Ne rien dire à ton frère ni à ta petite sœur pour ne pas les inquiéter et pour que la police n'ait pas d'info à leur soutirer.*

Regarder encore la carte dégottée après mille emmerdes. Passer ton doigt, une centième fois, sur le chemin le plus escarpé, le plus reculé, celui qu'on t'a conseillé d'emprunter et que tu connais déjà par cœur. Prévoir du fric au cas où tu croises quand même des gardes-frontières soudanais.

Attendre la nuit. La nuit sans lune, pour te fondre dans le noir comme ces grosses blattes qui sortent quand tout est sombre.

Aller regarder une dernière fois le visage de ta mère endormie et imprimer l'image dans ton esprit. Demander pardon pour les emmerdements que ça va leur causer. Refouler l'idée de les tuer toi-même, rapidement, sans douleur, plutôt que de les imaginer emprisonnés par ta faute.

---

18. Plat de bœuf cru et accommodé avec de nombreuses épices.

Sortir sans bruit et commencer à marcher, jambes fléchies, œil aux aguets. Passer au plus loin des check points, des sentinelles et des bagnoles des militaires. Rester près du sol pour éviter le ballet des projecteurs. Gagner les montagnes avant le lever du jour et t'y terrer comme le putain d'animal traqué que t'es devenu à l'instant même où tu as franchi le seuil de cette maison que tu reverras jamais.

Bouffer ce que tu trouves, des figues de Barbarie si t'es veinard ou des racines si tu l'es moins. Décapiter les cactus, les débarrasser de leur peau, mâcher la pulpe gorgée d'eau et recracher la chair sans l'avaler. Dormir que d'un œil, au cas où l'on t'a traqué jusque-là. Crever de chaud la journée, crever de froid la nuit. Marcher, marcher, jusqu'à en gerber.

Ne pas penser à ta famille qui a trouvé ton lit vide. Ne pas penser à ton père qui va avoir peur de se faire embarquer. À ton frère qui ne comprend pas que tu ne l'aies pas emmené, à ta sœur qui ne comprend pas pourquoi tu les as abandonnés.

Arriver près du but. Se faire agile comme un chat. Éviter de te pisser dessus, si t'as pu boire suffisamment pour encore avoir envie de pisser.

Et puis, un matin, si les dieux sont avec toi, s'ils ont jugé que ta peau valait la peine de ne pas se faire trouer cent fois, apercevoir enfin, de l'autre côté, la terre dont tu as rêvé et constater qu'elle ressemble en tout point à celle que tu viens de quitter. Courir sans un regard sur ton pays que tu aurais voulu aimer.

Te jeter dans un camp de réfugiés du HCR[19] *et après quelques jours, si t'as encore la foi, si les Rashaidas du désert n'ont pas fait une descente jusque dans ta tente, continuer ta route, tout seul, comme tu l'as commencée.*

Pour moi, ça s'est pas passé comme ça. J'avais rien prévu, rien préparé. Ma mère me le disait souvent : « Fils, tu agis trop sur des coups de tête. Dans la vie, cela te posera des problèmes. »

C'est vrai que j'ai jamais été du genre à réfléchir longtemps.

C'était pendant la dernière année de lycée, à Sawa. J'avais lâché l'école avant – les études, c'est pas mon truc – et je pensais bien éviter d'avoir à foutre les pieds là-bas. Ce que j'avais pas prévu, c'est que les soldats viendraient chercher mes parents au milieu de leur champ d'okras. On disait que loin de la capitale, on était à peu près épargnés par les giffa. *Moi, je peux vous le dire, c'est des conneries. La pluie*[20]*, elle tombe partout dans le pays.*

19. Haut-Commissariat des Nations unies pour les réfugiés, qui a pour but premier de sauvegarder les droits et le bien-être des réfugiés.
20. En tigrinya, le sens littéral de *giffa* est effectivement « pluie ».

Mes parents ont été sommés de payer 50 000 nafkas. Je suis pas tellement doué pour le calcul mais je peux quand même dire que pour réunir une somme pareille, il aurait fallu que tous les villageois s'y mettent. Alors ils ont demandé qui, de ma mère ou de mon père, voulait bien prendre ma place à Sawa.

Je n'ai pas eu le choix. Je me suis présenté. Je suis allé là-bas. Après tout, c'était qu'un mauvais moment à passer. Il suffisait de faire ce qu'on te demandait sans broncher et de laisser le temps couler. Je croyais que ce serait à ma portée.

Au centre, on était plus de vingt mille : forcément, sur le nombre, tu trouves des gens avec qui tu vas sympathiser. Sans compter que ce qu'on vit là-bas, ça resserre les liens.

Dans ma « classe », on était une dizaine à bien s'entendre. On essayait de rendre nos journées plus supportables. Romel, c'était le plus drôle. Je l'aimais bien, ce gars. Un grand type maigre comme un chien pelé, mais qui avait toujours des blagues à raconter. Ce qu'il préférait, c'était casser du sucre sur le dos du gouvernement, en particulier quand les soldats étaient à côté. C'était sa manière de résister.

Bien sûr, il y avait Awat, le plus teigneux. Une espèce de rage brillait dans ses yeux et quand il travaillait, lèvres serrées, on pouvait voir ses maxillaires bouger. Awat, il parlait que de l'Angleterre. C'est là qu'il voulait aller et il fallait pas être bien futé pour comprendre qu'il partirait coûte que coûte. J'ai aussi rencontré Mose, qui avait le mauvais goût d'être adventiste et à qui on avait demandé de brûler sa bible en abjurant sa foi. J'aime pas spécialement les adventistes, mais ce jour-là, à les voir agenouillés devant les soldats, les mains liées comme des prisonniers, ça m'a vraiment fait chier pour eux.

Il y avait aussi Salomon, toujours à la ramasse. Celui-là, on peut dire qu'il a eu de la chance qu'on l'ait aidé à porter le bois ou les gravats qu'on nous demandait de charrier.

Sans oublier Benyam, à qui il manquait un doigt, Isaak et Zarit, les jumeaux de Massawa, et je ne parle pas des dizaines d'autres dont les noms se sont déjà effacés dans ma mémoire.

C'est Awat qui a lancé l'idée. Le camp était à 70 kilomètres de la frontière soudanaise, à croire qu'on l'avait fait exprès pour faciliter la tâche des déserteurs.

Ce soir-là, j'ai pas pu dormir. J'ai réalisé qu'en fait, je connaissais rien de ce type. Qu'est-ce qu'il traînait derrière lui pour pouvoir imaginer ce genre de projet ? La plupart de ceux qui tentent de fuir profitent des dix jours de permission auxquels on a droit chaque année. C'est déjà risqué : les trois quarts se font rattraper et ceux qui ne sont pas flingués croupissent quelque part dans une prison pourrie. Peut-être que son frère ou son père avait déjà essayé. Je ne lui ai jamais demandé.

Le lendemain, tandis qu'on faisait la queue pour manger, j'ai soufflé à Awat :

— Ton truc, ça marchera pas. Vous vous ferez tous plomber comme du gibier.

Il s'est retourné, a planté ses yeux noirs dans les miens.

— Et alors ? On est déjà morts.

Deux semaines ont passé, pas l'idée de dingue qui avait germé dans la tête d'Awat. Il attendait juste de trouver assez de tarés pour viabiliser le projet. Des tarés avec un peu de fric. Awat estimait qu'une vingtaine de candidats serait suffisante.

Au fil des jours, il est devenu de plus en plus nerveux. Dans notre troupe, seuls Benyam et ce con de Salomon voulaient participer. J'ai eu envie de dissuader Salomon : il était trop lent, trop maladroit, c'était foutu d'avance, il ferait partie des sacrifiés.

Et même s'il arrivait à s'enfuir du camp d'entraînement, j'étais pas sûr qu'il réussirait à marcher à travers les montagnes jusqu'à la frontière soudanaise.

D'un autre côté, s'il devait perdre la vie, peut-être qu'il valait mieux que ce soit pour permettre à un autre de poursuivre le voyage.

C'était en début d'après-midi. On devait creuser ces putains de trous qu'il faudrait reboucher le lendemain. Mes yeux me piquaient à cause de la sueur qui coulait dedans et le soleil rongeait la peau de mon dos. J'avais mal au bide, sûrement du fait de la bouffe de merde qu'on nous avait filée. À côté de moi, Salomon grimaçait, les ampoules qu'il traînait depuis les premiers jours ne s'étaient toujours pas refermées, il devait douiller sévère. Moi, j'ai la chance d'avoir le cuir plutôt robuste. À quinze ans, les travaux des champs, sous le soleil, la pluie et le vent, m'avaient déjà tanné comme un vieux bœuf.

À quelques dizaines de mètres de nous, les deux soldats qui étaient censés nous surveiller digéraient à l'ombre d'une baraque. Ils avaient dû bouffer comme des porcs et l'un d'entre eux s'était avachi sur une chaise de bois clair, la matraque de travers, les jambes écartées devant lui.

J'avais l'impression que l'ambiance était différente de d'habitude. Je vais pas vous dire que les oiseaux avaient cessé de chanter, que les abeilles étaient énervées ou des conneries de ce genre, mais je sais pas, y a un truc qui était pas comme les autres jours. Quelque chose allait arriver. Ça allait arriver. Je le sentais comme les bêtes sentent l'orage arriver. Romel n'avait pas encore sorti une seule de ses blagues pourries.

Les jumeaux restaient collés, pelle à pelle, comme pour se rassurer de la présence de l'autre.

Le second soldat est descendu de la baraque et en a fait le tour, sans se presser, sûrement pour aller pisser.

Awat a attendu qu'il disparaisse pour se redresser. Sur sa chaise en bois, l'autre soldat avait toujours la bouche ouverte et les yeux fermés. Quand Awat a été certain que nous l'observions tous, il a posé sa pelle, rapidement et sans un bruit.

À ce signal, une vingtaine d'entre nous l'a imité et se sont mis à courir en direction du grillage. Mon cœur cognait dans ma poitrine, plus fort que ce que j'avais jamais cru pouvoir sentir un jour. C'était la première fois que je vivais ce moment-là : l'instant où tu comprends que la mort te fixe, de ses orbites puantes et creuses. Patiente, elle attend juste de voir si tu vas trébucher. Tu peux compter sur elle, elle est là pour te rattraper.

Avant que ces abrutis de soldats comprennent ce qui se passait, les premiers avaient déjà atteint le grillage, suivis par les plus lents, les plus faibles, ceux qui ont essuyé les premiers tirs. C'était ça, l'idée d'Awat. Au signal, on court tous en même temps. En pleine journée, devant les soldats. Sur le nombre, « dans le tas », comme il disait, certains s'en sortiraient.

J'ai fait partie des plus rapides.

Je sais pas pendant combien de temps j'ai couru. Je me rappelle même pas à quoi j'ai pensé. Peut-être à rien, à part continuer.

Longtemps, longtemps après, on a ralenti. La nuit était tombée. Je me suis rendu compte qu'on avait atteint les montagnes. Il y avait les rochers, les étoiles, les cactus, irréels. Comment tout pouvait être aussi normal après ce qu'on venait de faire ?

Je savais toujours pas combien d'entre nous étaient passés, combien étaient en train de marcher quelque part ailleurs dans ce même merdier. Avec moi, il y avait seulement Awat et Mohammed, un gars fin et nerveux comme une gazelle dont les yeux étaient encore ronds d'hébétude. Leurs fringues étaient trempées de sueur et je pouvais apercevoir leur torse à travers le tissu transparent. Cette nuit, ils allaient se cailler.

J'ai baissé les yeux sur moi : j'étais pas en meilleur état.

Je l'ai déjà dit : j'ai jamais trop été du genre à réfléchir avant d'agir.

8

Mila pédalait sur le chemin caillouteux, heureuse de cette sensation de liberté retrouvée.

La chaleur, les cactus, la poussière, les graviers : tout lui semblait juste, parfaitement en place.

Elle était partie sans savoir où elle allait, et c'est précisément ce qui lui plaisait : ce jour-là comme la veille, elle ferait exactement ce qu'elle voudrait. Elle pourrait rouler une heure dans un sens avant de changer d'avis sur un coup de tête, accélérer ou ralentir, s'arrêter dans une paillotte pour boire un jus de cerise, discuter avec un gosse du coin ou un pêcheur au visage buriné, s'approcher tout au bord d'une falaise ou descendre jusqu'à une crique… Quoi qu'elle fasse, elle n'aura pas à tenir compte de qui que ce soit.

Elle s'était levée plus tôt que d'habitude, avant que le soleil ne soit trop haut, et, sur la terrasse encore fraîche de la nuit, elle avait déjeuné de tranches de pastèque et de *mafalda*[21] toastée.

Ensuite, tandis que ses parents reprenaient leurs rouleaux et leurs couleurs pour poursuivre la réfection du salon, elle avait sorti son sac à dos et préparé ses affaires, d'une humeur légère dont la persistance l'avait surprise. Un deux-pièces noir acheté en soldes à Rome, son flacon de monoï au tiaré, sa serviette de plage. Une bouteille d'eau et une pêche jaune, un roman d'Andrea De Carlo, sans oublier son petit porte-monnaie de cuir, son iPod, son téléphone portable et la carte de l'île.

Son père l'avait embrassée en lui demandant où elle allait et Mila avait haussé les épaules, bien heureuse de répondre qu'elle n'en avait absolument pas la moindre idée :

— Peut-être un bar à l'autre bout de l'île, pour écouter les conversations des gens d'ici. Ou une plage, je ne sais pas.

Une seule chose était sûre : depuis qu'elle avait récupéré le vélo, l'avant-veille, la frustration des premiers jours s'était totalement dissipée.

21. Pain sicilien au blé dur et aux graines de sésame.

La bicyclette de Gina s'était certes avérée légèrement trop grande et surtout très… verte, mais Mila avait assuré qu'elle s'en accommoderait parfaitement. Après avoir passé une heure suffocante sur la terrasse des Lombardi, elle n'avait eu aucune envie de remonter dans la voiture surchauffée, encore moins de rouler jusqu'à l'agence pour voir si, à tout hasard, d'autres bicyclettes étaient rentrées. Elle n'attendait qu'une seule chose : partir à la rencontre de Lampedusa.

Au bout du sentier qui menait à la maison, Mila posa le pied à terre. Droite ou gauche ? Ruelles pavées ou falaises giflées par le sirocco ? Elle réfléchit quelques instants sur la direction à privilégier.

La veille, elle avait roulé le long de la côte sud, qui alternait les promontoires dentelés et les criques profondes, jusqu'à atteindre la plage des lapins. On la disait être une des plus belles du monde, et Mila était d'avis que la réputation n'était pas usurpée. Il s'agissait d'une petite plage à laquelle on ne pouvait accéder qu'après un quart d'heure de marche, et en dépassant les cohortes de vacanciers dont les visages luisaient sous le soleil, Mila s'était à nouveau félicitée d'avoir pu obtenir un vélo, même celui-là.

La plage était étonnamment fréquentée, bien plus que dans le souvenir qu'elle en avait gardé. Tous les vacanciers semblaient s'y être rassemblés : des familles, des couples enlacés, des enfants couverts de sable de la tête aux pieds. Mila avait louvoyé entre les parasols publicitaires et les crocodiles gonflables, admirant le paysage tout en se brûlant délicieusement la plante des pieds. À quelques centaines de mètres se dressait le fameux îlot qui donnait son nom à la plage, immense rocher comme posé au milieu du turquoise de la mer pour la seule distraction des plaisanciers.

Mila avait fini par étendre sa serviette près de ce qu'elle imaginait être une grappe d'étudiants en vacances. Peut-être même que la nièce de Gina en faisait partie. L'île n'était pas très grande, et la plage des lapins était l'une des plus à la mode.

Sous ses larges lunettes en écaille, Mila avait observé le groupe en feignant de lire son roman. Les garçons portaient des caleçons estampillés de marques de surf, tandis que les filles arboraient toutes des maillots fluo, vraisemblablement achetés dans la même boutique bon marché. En voyant les filles crier exagérément dans l'eau, comme si leur pouvoir de séduction se mesurait à l'aune des décibels qu'elles étaient capables de produire, Mila fut d'avis que la fameuse Paola ne pouvait pas faire partie de ce groupe-là. Une étudiante aux beaux-arts travaillant dans une boulangerie pour financer ses études ne hurlerait pas dans l'eau, moulée dans un affreux maillot fluo.

Mila se remit en selle. Pas de plage surpeuplée cette fois-ci. Elle opta au lieu de ça pour la direction opposée. Aujourd'hui, elle longerait les falaises de la côte nord, qu'elle savait plus farouches, plus tourmentées.

La chaussée goudronnée serpentait au milieu d'un plateau calcaire recouvert de touffes de végétation rase. L'ambiance était différente de celle qui régnait au sud. On disait cette côte désertique. À l'inverse, Mila trouvait qu'elle était pleine de vie. Elle s'arrêta, posa son vélo à terre et s'accroupit pour mieux observer le sol. Les buissons épineux qui, à travers la pierre, trouvaient à se hisser vers la lumière. Les disparitions furtives des lézards dérangés par son arrivée. Les fuchsias, les orangés des fleurs qui s'épanouissaient sur les aréoles de certains cactus, délicates étoiles comme déposées par erreur au milieu des épines. L'odeur du vent. La texture de la terre qu'elle écrasa entre ses doigts. Le cri des mouettes, qui annonçaient qu'au-delà des falaises commençait le règne de la mer.

Mila se releva, grisée par l'intensité de ses sensations.

Elle plissa les yeux : au loin, elle distinguait les voiles claires des bateaux de plaisance qui gravitaient autour de la côte. D'où venaient-ils ? Certains avaient peut-être déjà fait escale dans les ports d'Asie ou d'Afrique avant d'atteindre Lampedusa.

En tout cas, les eaux de l'archipel semblaient renommées. Au port, elle avait remarqué que de nombreux catamarans proposaient des excursions autour des côtes. Leurs brochures mettaient en avant la beauté des grottes et des criques secrètes, inaccessibles depuis la terre. Dans la journée, certains prestataires faisaient même l'aller-retour vers la Tunisie, distante de 170 kilomètres à peine.

Mila remonta sur son vélo et recommença à pédaler sur la route étroite. Elle sentit une grosse goutte de sueur rouler le long de son dos. Il devait être 10 heures et les rayons du soleil ne semblaient converger que vers elle. La chaleur était presque violente. Comme à la verrerie, lorsqu'elle s'approchait trop près du four. La sensation était franche, elle n'hésitait pas, et c'est précisément ce qui plaisait à Mila. Elle se sentait vivante.

Elle souffla pour écarter une mèche de cheveux tombée devant ses yeux et orienta son regard à droite, à nouveau vers la mer. Par temps clair, son père avait affirmé que l'on pouvait apercevoir les côtes siciliennes.

Son père. Tandis qu'elle pédalait toujours, les visages d'Ivo et Lucia apparurent soudain, en incrustation sur la soie de l'eau.

Elle était soulagée de constater que cette première semaine s'était bien déroulée, surtout après le malaise qu'elle avait ressenti le premier jour, chez le loueur de voitures.

Après tout, peut-être qu'elle voyait le mal là où il n'était pas, qu'elle dramatisait tout. Si une autre femme avait été à la place de sa mère, immobile et raide sur cette chaise orange, peut-être en aurait-elle simplement conclu qu'elle était irritée par l'attente, ou fatiguée. Pas qu'elle se débattait avec ses souvenirs, ses remords, ses regrets.

Le double avertissement d'un klaxon tira Mila de ses interrogations, chassant le visage de sa mère. Elle roulait en plein milieu de la route.

Le cœur battant, elle se rabattit rapidement sur la droite. Elle s'arrêta sur le bas-côté pour regarder la camionnette devenir de plus en plus petite, flottant sur l'asphalte rendu liquide par un mirage. Quand le véhicule eut tout à fait disparu, Mila fit demi-tour.

Cette côte était trop déserte. Et elle, il valait mieux qu'elle ne réfléchisse pas trop.

Finalement, elle ferait mieux d'aller au village. Peut-être qu'elle pousserait la porte du Costa. Juste pour penser à autre chose. Juste pour savoir si Paola était le genre de fille à porter un maillot fluo.

9

Alors qu'elle entrait dans le centre du village, Mila repéra des toilettes publiques à l'angle d'une rue. Soulagée, elle descendit du vélo et le posa précautionneusement contre le mur du bâtiment. La pierre avait conservé l'empreinte d'un grand cercueil tracé à la bombe noire. En dessous, un slogan en grosses lettres majuscules était pratiquement effacé. Il n'en fallut pas plus pour éveiller la curiosité de Mila.

« BIENVENUE À LAMPEDUSA, L'ÎLE DU SALUT », arriva-t-elle à déchiffrer, reconnaissant l'expression désormais familière. Mais si Gina et Ivo avaient été sincères, l'ombre du cercueil semblait indiquer, en revanche, que la phrase était tout sauf à prendre au premier degré. Une sensation de malaise évidente se dégageait à la vue de ce tag, bien que Mila ne sût absolument pas expliquer pourquoi. Des histoires de politique, certainement. Le genre de choses qui ne l'intéressait pas. Elle détacha son sac à dos du porte-bagages, en passa une bretelle autour de son épaule et se dirigea vers l'entrée des toilettes réservées aux dames.

Lentement, Mila pénétra dans le bâtiment. Elle plissa le nez sous l'odeur âcre qui imprégnait les latrines. Inspirant par la bouche, elle s'engouffra dans une cabine dépourvue de poignée et se dépêcha de déboutonner son short en jean, pressée d'en finir.

En sortant, elle se lava soigneusement les mains et s'aspergea le visage d'eau fraîche. Devant le miroir dépoli, elle inspecta rapidement son reflet. Elle avait les yeux brillants et la peau brunie par le soleil. Pas si mal, en fait. Elle se regarda de trois quarts. C'est vrai qu'elle ressemblait à Lucia. Devait-elle s'en réjouir ou pas ?

Elle détacha ses cheveux, lissa la masse sombre de laquelle elle fit naître une longue tresse. Puis elle chercha l'approbation du miroir, qui hésita à la lui rendre. Elle se trouvait des airs de communiante. Elle dénoua la natte, et, tout en regagnant la sortie, se recoiffa, en un chignon volontairement négligé dont elle extirpa plusieurs mèches.

Une fois dans la rue, elle ouvrit son sac à dos à la recherche de la carte de l'île, qu'elle déploya devant elle. Comme sur de nombreux plans, le verso était consacré au centre du village, parsemé de petits logos simplistes destinés à mettre en lumière les endroits dignes d'intérêt. Elle songea que ce n'était donc pas la peine d'y chercher ces toilettes.

Elle leva la tête : il n'y avait pas de plaque de rue à cet endroit. Où était-elle exactement ? Elle sourit intérieurement. Elle se sentait un peu l'âme d'une exploratrice. C'était plaisant.

Mila s'approcha de la première personne qui traversa son champ de vision. C'était une vieille dame, maigre comme un rameau d'arbre sec, dont la figure tannée comme une olive noire émergeait d'un fichu sans couleur. Avec cette mystérieuse résistance qu'ont parfois les gens âgés, elle réussissait à transporter un lourd panier d'osier tapissé de papier journal, dans lequel des centaines de petits anchois finissaient lentement de mourir. Une tendresse instinctive s'empara de Mila. Cela faisait longtemps que le visage de *Nonna* était devenu flou dans sa mémoire et elle s'empressa d'y calquer les traits de cette Sicilienne aux allures de *Befana*[22].

---

22. En Italie, la *Befana* fait partie du folklore traditionnel. Il s'agit d'une vieille femme juchée sur un balai qui, pour l'Épiphanie, vient déposer des cadeaux pour les enfants qui ont été sages.

— Bonjour *signora*, je cherche le Costa, c'est une pâtisserie, est-ce que vous pouvez m'aider ?

La vieille dame dévisagea Mila d'un air circonspect, avant de crachoter quelques explications que la jeune fille tenta de rassembler pour les rendre plus cohérentes.

— *Grazie mille !* sourit Mila en s'inclinant.

À ce qu'elle avait compris, la rue qu'elle cherchait n'était pas très loin.

Mila se remit en marche, poussant son vélo. Elle ralentit pour caresser une grappe d'éponges naturelles mises à sécher devant une boutique aux murs vermillon, passa sous l'arc bavard de femmes qui devisaient de part et d'autre de la rue, depuis les balustrades ventrues de leurs balcons. Ils avaient eu raison de revenir ici. Elle s'étonnait encore de se sentir autant chez elle à Lampedusa.

Tandis qu'elle obliquait dans une ruelle investie par une bande de jeunes en scooter, cherchant visiblement de quoi distraire leur ennui, Mila se sentit hésiter. Finalement, était-il nécessaire d'aller dans cette pâtisserie ? Maintenant qu'elle avait un vélo, elle pouvait très bien passer ses vacances toute seule. Il y avait encore assez à voir dans l'île pour occuper les trois semaines restantes. Sans compter qu'elle ne connaissait pas du tout Paola. Qui sait ce que Gina lui avait raconté sur son compte. Ou peut-être Paola allait-elle directement la cataloguer au rayon de la godiche n'ayant pas d'autre choix que de partir en vacances avec ses parents. Mila ne voulait pas avoir l'air de quémander de la compagnie.

D'un autre côté, son identité n'était pas inscrite sur son front. Elle n'avait rien à perdre à pousser la porte de la pâtisserie. Juste par curiosité.

Le Costa était un minuscule établissement flanqué de deux boutiques aux vitrines imposantes, handicap commercial que les propriétaires avaient visiblement tenté de pallier en accrochant une immense banderole de plastique en travers de la rue.

Mila rangea la carte qu'elle tenait toujours dans sa main droite, remonta la fermeture Éclair de son sac et le remit sur son dos. Sur la toile, la sueur avait refroidi et Mila frissonna au contact de cette humidité désagréable.

Elle regarda autour d'elle à la recherche d'un endroit où entreposer sa monture fluo. N'avisant aucun emplacement dédié, elle confia l'engin aux soins du réverbère qui faisait face à la boulangerie.

Mila souleva son T-shirt humide pour faire glisser un peu d'air frais sur son ventre. Puis, après quelques secondes de ces ventilations hésitantes, elle se décida à pousser la porte de la boutique.

Celle-ci l'accueillit avec un tintement de sonnette qui la propulsa directement dans un film de Vittorio De Sica, dans la Sicile des années 50.

Plusieurs personnes s'entassaient dans la pièce minuscule mais le regard de Mila les effleura à peine. Ses yeux s'étaient automatiquement portés derrière le comptoir, où régnait une petite femme ronde comme un culbuto, dont la blouse souffrait au niveau des coutures. Âgée d'une quarantaine d'années, elle bavardait avec son client tout en faisant courir son index sur les touches d'une grosse caisse enregistreuse lustrée comme une pièce d'argenterie.

Pas d'étudiante à l'horizon.

À présent que le hasard en avait décidé pour elle, Mila était presque déçue. Elle s'apprêtait à sortir discrètement de la pâtisserie quand une silhouette jaillit du rideau de perles suspendu à la porte de l'arrière-boutique.

La silhouette appartenait à une jeune fille. Munie d'un plateau chargé de tartelettes, biscuits et autres entremets multicolores, elle traversa rapidement la boutique pour atteindre la vitrine, fendant la clientèle avec l'indifférence altière de la Cendrillon d'Innocenti. Tandis qu'elle déposait gracieusement les gâteaux sur le présentoir, Mila la détailla de la tête aux pieds, bousculée. Cette fille pouvait-elle être… Paola ? Physiquement, elle se l'était représentée à l'image de sa tante : banale et transparente. Elle ne s'était pas du tout préparée à ce qu'elle puisse être si… intense.

Fine et gracieuse, la jeune serveuse avait de longs cheveux traversés de reflets auburn, maintenus en arrière par un fin ruban duquel s'échappaient quelques boucles souples. Sa peau était très pâle pour une Italienne, et l'imagination de Mila s'emballa, se figurant que cette fille avait des origines étrangères, que ses grands-parents avaient quitté la grisaille de l'Angleterre pour venir s'installer en Italie et y forger une mythologie familiale auréolée de persévérance et de réussite.

Elle était extrêmement belle. Un peu mystérieuse aussi, sans que Mila ne sache exactement à quoi attribuer cette particularité. Une chose était sûre : avec son minishort en jean déchiré et ses sandales habillées de poussière, Mila se sentait à des années-lumière de la grâce quasi divine qui illuminait cette fille. Voilà, c'était exactement cela. Elle ressemblait à une Vierge.

— Qu'est-ce que je vous sers ? Mademoiselle ? Mademoiselle !

Une voix de crécelle fit se retourner Mila, qui se sentit rougir. Derrière sa caisse enregistreuse, la femme-culbuto lui souriait de ses lèvres rouges, qui s'ouvraient sur des dents trop alignées pour être d'origine. Mila n'avait pas la moindre idée de ce qu'elle allait acheter, encore moins de l'argent qui lui restait.

— Aheum. Euh, je n'ai pas encore choisi, je vais encore... regarder.

Le sourire de la patronne se fana instantanément, comme un ballon de baudruche qui se dégonfle, le bruit en moins. Elle plissa un œil suspicieux, avant de hausser les épaules et d'entamer une conversation animée avec le client suivant, un habitué, visiblement. Tandis qu'elle fouillait dans son sac à la recherche de son argent, Mila sentit la jeune fille la frôler pour repasser derrière le comptoir. Mila huma discrètement son parfum, qu'elle trouva étrange et délicat. Rien à voir avec la vanille bon marché dont s'aspergeaient la plupart des filles de son lycée.

Quand elle eut enfin mis la main sur son portemonnaie, elle l'ouvrit pour en vérifier rapidement le contenu. Elle voulait acheter des gâteaux, peu importe lesquels, et puis s'échapper de cet espace confiné dans lequel elle n'allait pas tarder à se sentir mal. D'ailleurs, elle suait déjà à grosses gouttes.

Elle recula en direction de la sortie pour se poster devant la vitrine où s'alignaient un nombre impressionnant de pâtisseries : des *buccellati*[23], des *cassate siciliane*[24], des massepains, des petits choux coiffés de crème parfumée, des pains d'amande blottis dans des caissettes blanches, des *cannoli* aux déclinaisons si nombreuses qu'ils en paraissaient avoir été réalisés pour le simple plaisir de mettre au défi la pâtisserie concurrente. Elle considéra cet étalage d'un air désemparé.

— Je peux peut-être t'aider ?

Mila sursauta, recevant en pleine figure l'éclat du regard de la jeune fille.

— Euh, oui, pourquoi pas.

Elle sentit ses joues s'empourprer à nouveau et tenta de reprendre le contrôle. C'était complètement idiot de se sentir embarrassée par cette situation. C'était une employée de pâtisserie. Pas la Vierge Marie.

Unc lueur amusée traversa les yeux de la jeune fille.

— Eh bien pour commencer, je te dirais d'éviter la plage des lapins. C'est rempli de touristes et de maillots fluo. Pareil pour les rues du centre-ville à l'heure de la *passeggiata*.

23. Gâteaux aux amandes et figues séchées, plus traditionnellement servis à Noël.

24. Gâteaux à base de ricotta, de fruits confits et de glaçage au sucre.

Mila était trop surprise pour pouvoir sourire. Avec une simplicité désarmante, la fille posa sa main sur son épaule et l'embrassa sur les deux joues.

– Salut Mila, je suis Paola. Ma tante m'a parlé de toi.

Mila bredouilla une réponse qu'elle n'entendit pas. C'était donc bien la nièce de Gina.

Quelle particularité physique avait bien pu permettre à Paola de l'identifier aussi rapidement ? Ses cheveux ? Non, ce devait être autre chose : les trois quarts des filles étaient brunes, en Italie. Sa poitrine désespérément plate ? Sa silhouette de gamine ?

Son père le lui avait dit : sur l'île, tout se savait, les langues frétillaient plus que des anguilles. Qu'est-ce que Gina avait bien pu lui raconter pour qu'elle la reconnaisse si facilement ?

Du menton, Paola désigna la bicyclette qui, à travers la vitrine, les éclaboussait de vert.

– Franchement, il n'y a bien que ma tante pour acheter un vélo pareil !

Meron, 14 ans et 7 mois

Nous avons quitté l'Érythrée environ un an après que mon père fut sorti de prison. Professeur de physique appliquée à l'université de Mai Nefhi, il avait eu connaissance de la création d'un groupe d'étude biblique par quinze étudiants pentecôtistes et ne les avait pas dénoncés aux autorités. Un après-midi de mai, alors qu'il était occupé à détailler le fonctionnement d'un onduleur monophasé, les soldats avaient débarqué dans sa salle de cours et l'avaient emmené sans lui donner la moindre explication. Il avait été incarcéré, ainsi qu'un autre professeur et les quinze jeunes concernés. Ma mère et moi avons passé dix mois sans que l'on nous concède aucune nouvelle de lui. On ne savait même pas dans quelle prison il avait été transféré.

« Son sort ne vous concerne plus », avait-on répondu à ma mère avant de lui raccrocher au nez.

Cinq ans plus tard, je lui en veux plus que jamais.

Tout est de sa faute, dans le fond. S'il avait signalé la création de ce groupe, notre vie serait restée inchangée. Ne pouvait-il pas penser à moi ? À ma mère ?

À l'époque, j'étais une petite fille heureuse. Nous menions une belle vie, même si je ne suis pas sûre d'en avoir jamais été consciente. Le salaire des professeurs d'université était modeste mais mes parents travaillaient tous les deux. Et, surtout, nous avions la chance d'avoir Seyoum. C'était le seul frère qui restait à mon père – les trois autres étaient morts au front – et il avait réussi à fuir pendant la guerre d'indépendance. Il s'était installé en Italie, où il avait obtenu le statut de réfugié.

Je n'ai jamais vu Seyoum autrement que sur les photos qu'il nous envoyait depuis Orvieto, la ville où il s'était installé. Débarqué sans autre chose que les vêtements qu'il portait sur le dos, il avait réussi à créer une petite entreprise de taxis. Je l'investis encore d'une sorte de charge héroïque, presque magique. Comment s'y est-il pris pour réussir ainsi ?

Mieux que mon père, c'est certain.

J'aimais imaginer sa vie. Je m'asseyais en tailleur sur une natte et j'alignais soigneusement les photos devant moi. Puis je m'invitais dans ses journées : le café du matin devant un olivier noueux, le ballet des touristes étrangers à emmener, « Hello, where do you want to go? » *avec, en toile de fond, la muraille baignée de soleil sur laquelle était juchée Orvieto. Je me doute bien qu'en réalité, sa vie n'avait rien à voir avec celle que je lui prêtais mais cela n'avait pas d'importance.*

Dès qu'il pouvait, Seyoum nous envoyait de l'argent. Pour mes neuf ans, j'avais même reçu un baigneur estampillé « made in Italia », *une poupée blanche qui fermait les yeux lorsque je l'allongeais. Son crâne de plastique était imprégné d'une délicieuse odeur de sucre que je reniflais avec ravissement. Je me demande ce qu'elle est devenue.*

À Asmara, mes parents louaient une petite maison aux murs clairs. J'avais ma propre chambre, avec un lit en fer-blanc recouvert de coussins imprimés, confectionnés par ma mère à partir de tissus que j'avais moi-même choisis : des jaunes éclatants, des orange fleur de cactus et du vert qui rappelait le drapeau de l'Érythrée. J'aimais ma ville, qu'on disait être la plus belle de toute l'Afrique, ses façades de décor cinématographique, ses grandes avenues propres et bien ordonnées. Tout près de chez nous, sur Knowledge Street, il y avait cette immense fresque qui mangeait la moitié de la rue et devant laquelle j'aimais m'arrêter, cherchant à comprendre les scènes qui y étaient représentées. Dans ma mémoire, l'image n'en finit pas de s'effacer.

Parfois, on allait au cinéma. Ou à l'opéra. Je m'y sentais toute petite, écrasée par la grâce des huit danseuses qui ornaient le vaste plafond, au-dessus des trois étages de balcons.

Jamais plus je n'arpenterai ces rues bordées de palmiers, jamais plus je ne flânerai à Medeber, le marché aux objets recyclés. De l'amertume, de la colère ou de la tristesse, je ne sais pas quel sentiment j'éprouve le plus souvent. J'aurais voulu emmener des photos, des images, des objets qui me rappelaient ma vie à Asmara, mais je n'ai rien pu emporter. « Seulement tes souvenirs », m'a soufflé mon père, peu avant notre départ.

Peut-être reviendrais-je un jour. Si je sors vivante de cette traversée.

Mon père a dépensé énormément d'argent pour organiser notre fuite. À cause de mon petit frère qui n'avait que huit mois, il ne voulait pas que l'on parte à pied depuis Asmara. On a vendu tout ce qu'on avait de plus précieux, la voiture, les meubles, l'électroménager. C'était bien loin d'être suffisant pour obtenir les quatre « exit visa » qui nous auraient permis de quitter le pays en toute légalité – sans compter que de toute façon, son statut d'ex-prisonnier nous en aurait empêchés – mais il nous a obtenu de faux laissez-passer qui nous ont permis de prendre le bus jusqu'à Tesseney, à 45 kilomètres de la frontière avec le Soudan.

Je me rappelle très bien de chaque contrôle que nous avons passé. Chaque fois, la même scène se répétait : le car ralentissait à l'approche des check points, sentinelles installées de part et d'autre de la route. Les portes du véhicule s'ouvraient en gémissant, les soldats grimpaient, kalachnikov au bras, et les laissez-passer fleurissaient au bout des doigts.

J'ai eu horriblement peur chaque fois : je n'avais que dix ans et la maigreur de mon père à son retour de prison avait déclenché en moi une véritable épouvante des uniformes. Au troisième check point, le regard du soldat qui vérifiait nos papiers s'est attardé sur moi. Recroquevillée sur mon siège, je n'osais pas parler ni bouger. J'aurais presque voulu m'arrêter de respirer. J'avais l'impression que tout mon être criait « nous sommes des déserteurs des clandestins des migrants nous avons des faux papiers » et que tout allait s'arrêter là, dans ce paysage désertique, écrasé de soleil ricanant.

Comme venue de très loin, j'ai entendu la voix du soldat, une voix désagréable, sibilante :

— Elle a pas l'air en forme, la gosse.

Ma mère m'a serrée contre elle et mon petit frère s'est réveillé.

À Tesseney, nous avons dû attendre quelques jours dans un appartement minuscule et crasseux dans lequel je tournais comme un lion en cage. Il faisait chaud, bien plus chaud qu'à Asmara. Le dénuement, la touffeur, la saleté, l'ennui, la peur et les pleurs de mon petit frère rendaient l'attente insupportable. Je posais mille questions à mes parents, je tambourinais contre le mur, j'exigeais de rentrer chez moi. Je voulais me promener sur Harnet Avenue, je voulais me brûler les lèvres au contact d'un latte macchiato *servi dans un verre haut et étroit. Je voulais aller au cinéma Impero, je voulais faire du vélo sur les trottoirs devant chez moi.*

Le quatrième jour, le passeur est enfin venu nous chercher. Quand il est entré, je me suis ruée sur lui de toute ma petite hauteur, je voulais le frapper et le frapper encore, mais il m'en a empêchée avec une gifle dont l'humiliation me brûle encore la joue. Immédiatement, il m'a été antipathique. Il avait une tête de rat.

Selon mon père – à l'époque, je lui faisais confiance –, le Rat était le meilleur passeur de tout le pays. Il avait dû patienter pendant plus de sept mois avant de pouvoir se pencher sur notre cas. Extrêmement cher, mais avec de solides chances de réussite et la garantie de ne pas avoir à marcher des nuits et des nuits à travers les basses terres et les montagnes de la zone frontalière.

Le Rat avait arrangé notre passage en 4 × 4, grâce à un soldat corrompu et de nombreuses liasses de billets. Le tarif exigé était à l'aune de l'entreprise, délicate et extrêmement risquée. Les déserteurs s'exposaient déjà à la torture, alors qui sait ce qu'encourait un soldat qui les aidait.

Nous sommes passés sans problème. Aujourd'hui, après avoir parlé avec tant d'autres migrants, je dois concéder à mon père que le début de notre voyage était juste ahurissant.

De l'autre côté, au poste-frontière soudanais, le Rat a coupé le moteur du 4 × 4 et en est descendu, ôtant ses lunettes de soleil. J'avais mal au dos, aux jambes, et j'ai voulu l'imiter. Mon père m'a retenue, d'un mouvement de bras qui interdisait toute forme de protestation.

La mine renfrognée, je me suis contentée d'observer le Rat, lancé en pleine conversation avec les deux soldats en faction. Je me doutais bien qu'il n'était pas simplement en train de leur demander le chemin.

Au bout d'un temps que je ne saurais évaluer, les soldats se sont approchés de la voiture. Le Rat nous a ordonné de descendre et les soldats se sont mis à tourner lentement autour de nous en parlant avec le passeur, comme on jauge une marchandise avant de se décider à l'acheter.

J'essayais de décrypter leurs attitudes pour tenter de comprendre ce qui se passait. À mes côtés, ma mère berçait impatiemment mon petit frère en lui susurrant de longs « chhhh » pressants et inquiets.

Quand le plus grand des soldats a fait un mouvement de tête à notre passeur, celui-ci est aussitôt revenu vers le véhicule, de sa démarche de rat, rapide et feutrée. Il en est revenu avec une enveloppe épaisse qu'il a tirée d'une sorte de fente dissimulée dans la mousse du siège conducteur. J'étais jeune, mais j'avais déjà compris comment tout cela fonctionnait. Les frontières s'ouvrent difficilement sans argent.

L'enveloppe est passée dans la main de l'un des soldats qui s'est empressé de la fourrer à l'intérieur de sa veste militaire, avec un petit sourire satisfait.

Le Rat a ensuite passé un coup de téléphone puis a sorti une bouteille d'eau du coffre. Il l'a tendue à mon père, puis a lâché :

— Nos chemins se séparent ici, je vous ai fait sortir du pays, mon contrat est terminé. Un autre passeur va venir vous chercher, qui vous emmènera à Khartoum. Vous pouvez attendre à cet endroit, c'est arrangé avec les gardes-frontières. Mettez-vous à l'ombre de la baraque, là-bas derrière.

— La prochaine étape est Khartoum ? a soufflé ma mère en désignant le bébé. C'est à plusieurs jours de route et…

— Le passeur connaît certains villages où il peut vous arrêter. Mais ça peut être dangereux. Et il faudra encore payer. C'est à vous de voir.

Le Rat a replongé la tête dans le coffre de la voiture et a sorti un sac de plastique qu'il a jeté à nos pieds.

— Tenez. Ce sont des vêtements soudanais. Vous feriez mieux de les enfiler.

Mon père a hoché la tête et a serré la main du Rat.

Nous n'avons jamais atteint Khartoum.

Quelques minutes après que la voiture du Rat eut disparu, les soldats sont revenus autour de nous. Quelque chose dans leur attitude avait changé. Quelque chose de l'ordre de… de l'avidité se lisait dans leurs yeux noirs, dans leurs sourires carnassiers, dans leurs gestes coulés.

Ils ont pris tout l'argent que mon père avait emporté avec lui. Avec le recul, je me dis que c'était tellement évident. Aucun migrant ne transporte l'argent sur lui. Il faut se le faire envoyer au fil des besoins, dans les villes traversées, Khartoum, Koufra, Tripoli. Il me semble que c'est à ce moment-là que j'ai commencé à en vouloir à mon père. Lui qui disait avoir préparé le voyage pendant des mois, comment avait-il pu être si con ? J'avais l'impression de le voir enfin tel qu'il était en réalité. Un incapable. Tout était de sa faute, depuis le début. Il avait ruiné ma vie, en avait fait un cri. Je n'ai jamais demandé à finir ici.

En constatant qu'on ne pourrait pas le payer, le passeur contacté par le Rat a craché sur mon père avant de repartir, dans des torrents de sable.

On a marché pendant des heures sous l'œil du soleil, jusqu'à ce qu'on croise enfin un véhicule soudanais. C'était celui d'un marchand de poteries. Ma mère a donné sa chaîne en or, son alliance et ses boucles d'oreilles pour que le conducteur accepte de nous jeter dans le premier camp de réfugiés. Cela faisait bien longtemps que mon petit frère n'avait plus la force de pleurer.

Je suis restée trois ans au camp de Shagarab. Il nous a fallu six mois pour obtenir nos cartes de réfugiés auprès du Haut-Commissariat aux réfugiés et avoir le droit de construire notre propre hutte, puis encore six mois pour que mon père obtienne l'autorisation de se rendre dans la ville la plus proche, à Kassala. De là-bas, il a contacté Seyoum pour lui demander de l'aide. Si certains réfugiés vivaient au camp depuis plus de trente ans, faute de pouvoir réunir assez d'argent pour continuer leur route, il n'avait jamais été question que notre voyage à nous s'arrête au Soudan. Mais sans argent, comment continuer ? Au bout de deux ans, Seyoum avait réussi à transférer 6 000 dollars sur un compte qui nous était destiné. Bien trop peu pour financer quatre voyages, mais bien assez pour un seul.

Je n'ai pas hésité très longtemps. Tout était préférable au fait de rester ici, dans ce camp où je n'avais pas d'avenir. Je ne voulais pas devenir l'un de ces 20 000 fantômes traînant derrière eux leur désespoir comme des âmes au purgatoire. Comme je ne pouvais plus rester aux côtés de mon père, que désormais je haïssais tout à fait.

J'ai fouillé dans ses affaires pour mettre la main sur les papiers du compte bancaire. Je n'ai eu aucun mal à les trouver, et je n'ai pas su si je devais rire ou pleurer. C'était pitoyable. Cet imbécile ne les avait même pas gardés sur lui.

La nuit suivante, j'ai rejoint un petit groupe de clandestins qui s'était constitué pour atteindre Khartoum, première étape de notre voyage vers Tripoli. Le ciel était pavé de guides étoilés.

On était au mois de juillet. Je savais déjà qu'à tout jamais, il résonnerait en moi de manière particulière.

10

Alors qu'elle pédalait sur la route du retour, Mila croisa une camionnette de pompiers. Le véhicule roulait silencieusement, sans sirène, mais aussitôt, elle sentit son sang s'affoler. Elle appliqua deux doigts sur les pulsations fragiles de ses tempes, comme on devine le cœur d'un petit oiseau à travers la peau encore transparente.

Le matin, quand elle avait quitté la maison, ses parents commençaient juste à peindre. Ivo avait branché son iPod sur sa playlist du moment, un étrange mélange qui plongeait Mila dans des abîmes de perplexité. Une pièce d'opéra signée Antonio Salieri, des *tarantelle*[25] traditionnelles, des poésies fredonnées par Leonard Cohen, quelques

25. La *tarantella* est une forme musicale traditionnelle provenant de l'Italie du Sud.

chansons de Jacques Brel, un artiste belge, et même une beuglante de Rammstein.

En dix heures de temps, beaucoup de choses pouvaient arriver. Une sourde angoisse enserra sa poitrine. Se pouvait-il que… ?

Mila se savait très douée pour imaginer le pire. Surtout parce qu'il avait déjà failli se produire. Évidemment, c'est à sa mère qu'elle pensait. Aussi franches soient-elles, les couleurs à passer sur les murs semblaient tellement dérisoires par rapport à celles qu'elle aurait aimé voir dans ses yeux. Celles qui illuminaient son visage, sur les photos d'avant.

Elle tenta de se rassurer. Le camion de pompiers ne semblait pas particulièrement pressé. Et rien n'indiquait qu'il venait de la Pointe aux orangers. Tout un tas de raisons pouvait expliquer sa présence sur cette route. Un chat coincé en haut d'un arbre, dans un hameau. Ou un nid de guêpes à détruire. Oui, c'était certainement quelque chose de ce genre.

Tandis qu'elle obliquait sur le chemin menant chez elle, Mila fouilla mentalement sa mémoire, cherchant à se rappeler la date de leur arrivée et le nombre de jours qui s'étaient écoulés depuis.

On devait être le 11 ou le 12 juillet. Ses mains se crispèrent très légèrement autour de la mousse des poignées du vélo. Encore quelques jours à supporter. Ensuite, le plus pénible serait passé.

Arrivée devant la maison, Mila sauta de la bicyclette verte et accompagna le mouvement du vélo jusqu'à ce qu'il s'immobilise sur le gravier.

Rien n'était de sa faute. Elle n'était même pas là quand c'était arrivé.

Pourquoi n'avait-elle pas le droit de vivre normalement, six ans après ? Pour n'importe qui d'autre, le mois de juillet évoquait la promesse de l'été, la chaleur, les soirées, les vacances. Les soldes.

Pourquoi sa mère avait-elle été si... faible ? D'autres étaient certainement passées par là. Et s'en étaient remises.

Mila repensa à la camionnette rouge se découpant sur l'horizon bleu, comme un oiseau de mauvais augure venu la tourmenter.

Dans le fond, qu'est-ce qui lui garantissait que sa mère n'essaierait plus jamais de se...

Elle chassa l'idée. Et la tache écarlate du véhicule des pompiers. Lucia allait bien. Ils étaient en vacances à Lampedusa. *Tout* allait bien.

Tandis qu'elle entrait dans le garage, Mila repensa à un autre album illustré retrouvé dans la chambre d'enfant. Il s'agissait d'une édition en langue anglaise, probablement laissée par un cousin ou une connaissance de la famille, racontant les aventures d'un demi-dieu maori nommé Maui. Avec des cordes ensorcelées, il contraignait le soleil et réglait la marche du temps. Si elle avait été ce dieu-là, elle serait directement retournée quelques années en arrière. Et elle aurait trouvé un moyen d'empêcher les choses d'arriver.

— Papa ? Maman ?

Mila passa la tête dans la cuisine, qui était déserte. Le four n'était pas allumé, aucune cocotte en fonte ne mijotait sur la gazinière. Sur la table, un gros presse-papiers de verre empêchait une poignée de tickets de caisse de voler aux quatre coins de la pièce. Elle s'approcha machinalement et leva l'objet à hauteur de ses yeux. À l'intérieur de la masse transparente flottaient quelques tourbillons orangés, qui lui rappelèrent les sucettes que sa mère lui achetait près du carrousel de la place Saint-Pierre, quand elle était petite. Elle reposa doucement la sculpture sur les tickets de caisse. Son père avait dû la fabriquer il y a une bonne dizaine d'années. Aujourd'hui, il n'avait plus du tout le même style.

Mila gagna le salon, grand ouvert sur une fin de journée jaspée de rose et de violet. Elle fit quelques pas au centre de la pièce, faisant crisser ses pieds sur des feuilles de journal étalées pour protéger les tomettes de terre cuite.

Elle tourna sur elle-même, s'efforçant de déporter son attention sur la réfection du salon. Ses parents avaient bien avancé. Trois murs avaient été repeints de blanc, tandis que sur le quatrième, la vue spectaculaire de la terrasse était mise en valeur par deux larges bandes bleues ourlant la fenêtre, comme le cadre d'un tableau. L'effet était réussi. La peinture ne dénaturait pas la pièce. Elle la mettait en valeur tout en conservant son âme. Une idée de son père, certainement.

— Papa ? Maman ?

Mila ne reçut pour toute réponse que l'écho de sa voix dans la pièce débarrassée de ses meubles, comme on jette des cailloux dans un puits en écoutant le bruit de leur chute. Elle monta rapidement à l'étage, entra dans les chambres dont les volets rabattus tentaient vainement de repousser la chaleur. L'air était immobile, même les meubles semblaient avachis.

Ses parents n'y étaient pas non plus.

En redescendant les escaliers, elle sentit une impression de froid envelopper lentement ses épaules, saisir ses bras.

Et si…

Et si…

Elle traversa à nouveau le salon, presque en courant, arrachant au passage quelques feuillets de papier journal qui s'accrochèrent à ses pieds.

Elle sortit sur la terrasse habillée de lumière dorée. Deux mouettes la fixèrent, impavides, avant de décoller en criaillant.

Mila se mordit la lèvre. *La camionnette des pompiers ne roulait pas vite.* Elle ravala ses larmes et sa panique, cherchant çà et là quelques détails rassurants.

Rien dans la maison ne suggérait un départ précipité. Les pots de peinture étaient refermés, les pinceaux et rouleaux trempaient dans des bocaux remplis de white-spirit. La voiture attendait dans le garage. Le téléphone de son père somnolait sur la console de l'entrée, le sac en paille de sa mère était pendu dans la bonnetière.

Tout était normal. Ils avaient dû sortir se promener.

Elle se dirigea vers la cuisine, ouvrit le réfrigérateur et attrapa une cannette de soda.

Elle but quelques gorgées glacées avant de faire claquer la boîte sur le plan de travail.

C'était vraiment du grand n'importe quoi.

Un jour, il faudrait qu'elle arrive à dépasser tout ça.

11

Lucia invita Mila à lui présenter son assiette.

— Alors, est-ce que tu as passé une bonne journée ?

Mila hocha la tête et tenta de sourire à sa mère, entreprise rendue difficile par le fait qu'elle avait la bouche pleine de *bruschetta*. Tous trois venaient de passer à table, et Mila s'était subitement rendu compte qu'elle mourait de faim, sans savoir si son appétit était dû aux kilomètres de vélo ou au soulagement d'avoir retrouvé sa mère dans un état normal. Ou d'avoir retrouvé sa mère tout court.

Le soleil avait disparu depuis dix minutes environ lorsque Mila avait vu ses parents rentrer. Ne sachant pas quoi faire en les attendant, elle s'était assise sur une chaise longue. Puis elle s'était plongée dans un énième examen du Cendrillon d'Innocenti, dans l'idée de tromper l'inquiétude qui grignotait son estomac. Mais elle était incapable de dire quelles pages elle avait regardées.

Tout d'abord, elle n'avait aperçu que deux fines silhouettes brunes qui, au loin, se découpaient sur le promontoire allongé. Main dans la main, elles avançaient prudemment, déjouant les multiples guet-apens tendus par la roche.

La seconde d'après, son malaise avait disparu. Tout venait de se remettre en place dans son esprit, balayant jusqu'au souvenir même de l'inquiétude ressentie : bien sûr, ses parents étaient simplement descendus admirer le soleil couchant. Pourquoi avait-elle imaginé autre chose ?

— Eh bien raconte-nous un peu ! Où es-tu allée avec ton cheval vert ? demanda Ivo d'un ton léger.

Mila ne voulut pas avouer que sa rencontre avec Paola l'avait surprise, presque troublée. Elle n'en rapporterait que les faits, gardant ses émotions pour elle.

Il était déjà pratiquement midi lorsque Mila avait poussé la porte du Costa. Paola lui avait proposé d'attendre qu'elle termine son service pour partager un sandwich avec elle. Mila avait accepté, un peu par peur de paraître timide ou sauvage, et beaucoup parce qu'elle avait très envie de discuter avec cette fille, ne serait-ce que pour la regarder.

Elle avait repris son vélo et était partie flâner sur le port. À cette heure de la journée, les premiers chalutiers commençaient à rentrer, le pont encombré de filets encore humides et d'une mosaïque de caisses de polystyrène plus ou moins pleines. Mila avait passé un moment émerveillé à observer les débarquements, assise sur un bollard d'amarrage à la peinture écaillée. Les femmes qui, sur le quai, attendaient solennellement le déchargement des cargaisons, puis leurs mains agiles et impartiales triant les offrandes de la mer. Les pêcheurs qui rinçaient le navire et rangeaient les équipements, le front barré de fatigue, de passion ou de la lassitude créée par la répétition.

Quand les femmes étaient parties vers la criée, faisant rouler leurs caisses d'anchois, de sardines et de rascasses comme des mineurs leurs carrioles, Mila s'était levée, l'esprit à nouveau embarqué dans la perspective de son rendez-vous avec Paola. Elle s'en réjouissait tout en regrettant un peu l'isolement rassurant dans lequel elle aurait pu passer la journée. Elle redoutait que la rencontre ne soit gênante, qu'elle ne se retrouve au milieu d'une bande d'amis liés par des souvenirs d'enfance, parmi lesquels elle se voyait déjà autant à sa place qu'une tache de vin rouge sur l'aube blanche d'un prêtre. Ou qu'elle n'ait à subir les regards de pitié de Paola, qui devait déjà être au courant de l'étendue du désastre familial.

À 13 h 30, Mila s'était assise à l'endroit indiqué, sur un petit muret de pierre de lave, en face de l'église du village. Elle n'avait pas voulu y rentrer. À la place, elle s'était efforcée de regarder les passants, essayant d'imaginer les vies qui se cachaient derrière ces attitudes, ces visages, ces vêtements. Cette grande femme aux cheveux bouclés, peut-être avait-elle été en classe avec son père. Ils auraient échangé leur premier baiser à l'ombre des feuilles frémissantes d'un olivier. Cette famille-là, par contre, était certainement en vacances. Des Hollandais, peut-être. Comment les étrangers trouvaient-ils Lampedusa ?

Au grand soulagement de Mila, Paola était arrivée seule, portant un paquet enrubanné, suspendu au bout de son index. Il contenait des petites pizzas et des massepains qu'elles avaient grignotés en faisant connaissance. Paola avait dix-neuf ans et vivait à Milan, près de la pinacothèque de Brera. Et chaque été, elle passait ses vacances à Lampedusa.

Mila avait détaillé son beau visage de madone. Elle avait été frappée par la quiétude dont semblaient être saupoudrés ses paroles et ses traits.

La jeune fille semblait ne se poser aucune question : elle était là, avec sa manière d'appartenir au monde, évidente et sereine. Cela avait fait envie à Mila autant que cela lui avait fait mal. En face de Paola, elle réalisait subitement à quel point elle se sentait enfermée. Elle aurait aimé pouvoir prendre congé d'elle-même et revenir en envisageant chaque jour la vie à travers les yeux de cette fille.

Ivo se versa un peu de vin dans un verre coloré. Il avait les mains parsemées de petites taches de peinture bleue.

— Et donc, est-ce qu'elle connaît aussi bien Lampedusa que ce que Gina prétend ?

— Oui. On dirait qu'elle ne passe pas beaucoup de temps chez sa tante.

Elle jeta un œil entendu à son père, avant d'ajouter :

— C'est vrai qu'on a l'impression qu'elle a toujours habité ici. Elle m'a parlé de tas de choses qui ne figurent pas sur les cartes : des grottes sous-marines secrètes, des légendes, des traditions anciennes, de vieilles querelles entre villageois... Peut-être même qu'elle en sait plus que toi sur Lampedusa, papa !

— C'est possible, répondit Ivo tout en humant le vin qu'il faisait tournoyer dans son verre.

Il avala lentement une gorgée et ajouta, l'œil narquois :

— Dans ce cas-là, j'espère bien que tu me feras l'honneur de tirer ton pauvre père de son ignorance crasse !

Mila sourit.

— Mmmmh, je ne sais pas. On verra. En tout cas, elle est étrange, Paola.

— Comment ça ? interrogea Lucia.

— Je sais pas. Apaisée.

— C'est plutôt l'inverse qui semblerait anormal, non ?

Redevenu sérieux, Ivo la fixait derrière le rectangle de ses lunettes.

Mila détourna le regard et avala un verre d'eau. *Touchée.*

— Oui, d'accord. Mais il n'y a pas que ça. Je ne sais pas comment dire, il y a quelque chose chez elle qui m'intrigue, c'est tout.

Lucia demanda :

— Tu as envie de la revoir ?

Mila se laissa aller contre le dossier de sa chaise. Elle haussa les épaules.

— Je ne suis pas sûre. On verra.

Pietros, 20 ans et 2 mois

Dans le désert, tu pries. C'est tout ce qu'il te reste.

Il n'y a plus de jours, plus de nuits. Plus d'avant, plus d'après. Plus de pays. Au Soudan ou en Libye, le Sahara reste le même. Que tu viennes d'Érythrée, de Somalie ou d'Éthiopie, que tu aies douze ou quarante ans, ta réalité se limite désormais à ces trois mètres carrés dans lesquels tu t'entasses avec trente autres migrants. L'arrière d'un Land Cruiser cabossé.

Tu le connais par cœur, cet univers. Les trous sur la banquette de velours élimé, dans lesquels tu peux glisser ton doigt pour sentir la mousse qui se délite. La cabine qui a été enlevée, pour gagner un peu d'espace sur les côtés. Les petites gravures çà et là, sur le plastique ou sur la tôle, comme des traces laissées par ceux qui ont tenté leur chance avant toi. La peau des autres contre tes bras. Leur souffle chaud, les plaintes ou les mots âcres qu'ils lâchent parfois. Le clapotis de l'eau qui se brise contre les parois du jerrican, petite mer agitée – une mer coupée d'essence, pour que personne ne soit tenté d'en boire trop. L'odeur aigre, poisseuse, animale, dont tu ne sais plus si elle t'appartient ou pas et qui ne te dérange plus depuis longtemps. Le gémissement du moteur quand il patine, « descendez, il va falloir pousser ». La lueur des phares d'un 4 × 4 et l'harmonie parfaite de trente cœurs qui s'emballent de terreur. Si ce sont des trafiquants, qu'est-ce qu'ils prendront ? L'argent, nos yeux, nos reins ?

Le sable qui s'insinue partout. Les yeux qui brûlent, la gorge dont les parois te semblent être devenues de bois. La fournaise de la journée qui te fait languir de la nuit. Le froid de la nuit qui te fait languir de la journée. Les formes desséchées que tu voudrais ne pas regarder mais sur lesquelles tes yeux accrochent tout au long du chemin. Le chapelet que tu égrènes entre tes doigts : « Seigneur tout-puissant, faites que je ne sois pas le prochain. »

Si la dune est trop raide, monter à pied.

Si un passager meurt, le jeter par-dessus bord.

Au bout du quatrième, tu n'y es toujours pas habitué. Et tu te fais horreur, parce que tu viens de penser que désormais, tes trois mètres carrés te semblent légèrement moins étriqués.

12

La sonnerie du téléphone fendit l'air immobile jusqu'à la terrasse sur laquelle Mila examinait un prospectus sur la clinique des tortues de mer, qu'elle avait l'intention d'aller visiter. Elle avait encore pédalé toute la journée et elle avait les jambes engourdies de fatigue, une sensation agréable. Elle ouvrit les yeux sur Lucia qui était déjà en train de se lever de son bain de soleil, abandonnant son roman au pied d'un large pot récemment replanté d'amaryllis rouge et blanc.

Mila se redressa sur ses coudes. Qui pouvait bien les contacter via ce numéro-là ? Depuis qu'ils étaient sur l'île, le vieux téléphone n'avait sonné qu'une seule fois, lorsque le transporteur local les avait appelés pour les avertir que les pots de peinture et autres rouleaux achetés à Rome venaient d'arriver par bateau. Le numéro de portable donné par Ivo n'avait pas été correctement reporté sur la fiche de livraison, et le transporteur avait dû chercher dans l'annuaire papier, expérience vraisemblablement exténuante au vu de la théâtralité des lamentations exprimées.

Quelques secondes plus tard, Lucia ressortit sur la terrasse.

— C'est pour toi.

— Pour moi ?

Lucia hocha la tête tandis que Mila la dévisageait sans bouger, à califourchon sur la chaise longue.

Sa mère se mit à rire.

— Eh bien vas-y ! Avec les téléphones fixes, c'est à toi de te déplacer.

Mila haussa les épaules et se leva. Elle feignait l'indifférence mais dans le fond, elle était heureuse. C'était bon d'entendre Lucia se moquer.

Sourcils froncés, Mila saisit le combiné.

— Allô ?

— Allô, Mila ? C'est Paola à l'appareil !

L'émotion et la surprise flambèrent dans son estomac. Trois jours s'étaient écoulés depuis sa rencontre avec la nièce de Gina et elle se figurait que leurs relations n'iraient pas plus loin. Paola lui avait bien proposé de l'appeler si elle avait envie de sortir ou de se balader quelque part en particulier, suggestion que Mila n'avait pas prise au sérieux. Elle n'avait pas pu s'empêcher de penser que cette proposition n'était que pure politesse. Elle imaginait très bien Gina expliquer à sa nièce, le visage rosi par le rayon de soleil traversant l'auvent fuchsia : « Écoute, cette pauvre gamine s'ennuie, elle est toute seule là-bas, et j'ai promis à son père d'arranger ça. Avec ce qui leur est arrivé... Fais-moi plaisir, sors-la un peu, d'accord ? »

Et puis dans le fond, elle n'était pas certaine de vouloir se confronter encore à la grâce et à la quiétude de Paola. C'était douloureux, de se comparer à quelqu'un de si différent de soi.

— Ha, oui, Paola ! Salut, euh... Comment ça va ?

— Très bien, et toi ? J'attendais de tes nouvelles !

La voix de Paola était à la fois calme et enjouée et Mila dut bien admettre qu'on n'y relevait rien d'autre que de la sincérité. Elle attrapa un petit coupe-papier au manche de corail qui était posé à côté du téléphone et commença à le faire jouer machinalement entre ses doigts.

— Oui, j'ai voulu t'appeler, mais j'ai été... pas mal occupée ces derniers jours.

— J'espère que je ne te dérange pas, alors. Tu veux que je te rappelle plus tard ?

Mila secoua la tête. Et planta la pointe du coupe-papier dans un bloc-notes épais.

— Non. Vas-y. Tu ne me déranges pas.

— Alors, quoi de neuf depuis la dernière fois ? Est-ce que tu as eu le temps d'aller te balader un peu ?

Mila acquiesça. Elle commença à lui faire un compte-rendu rapide de ses dernières explorations. L'île était un sujet de conversation facile qui l'intéressait, ou plutôt la passionnait. L'avant-veille, elle avait roulé jusqu'aux grottes de Tabbaccara. Elle avait nagé au large, très loin, dans l'espoir d'apercevoir les dauphins qui fréquentaient ces eaux. Elle n'avait pas croisé les cétacés mais était tombée face à une grosse tortue *Caretta caretta*, rencontre si imprévue qu'elle s'était à moitié étouffée en aspirant l'eau de son tuba.

Elle était aussi allée se promener dans les petites rues derrière le port, dont Paola avait pointé l'ambiance de casbah. Elle s'était installée dans un vieux bar fréquenté par des pêcheurs en bottes sombres et elle avait bu une bière en les écoutant parler de leurs exploits, du cours de l'anchois qui baissait ou de leurs bonnes femmes qui étaient vraisemblablement nées pour les emmerder.

— Pas mal ! J'espère que tes parents ne vont pas m'en vouloir : ils n'ont pas dû beaucoup te voir ! s'amusa Paola. Est-ce que ça t'a plu ?

Toujours cette même voix sereine, tranquille. Anesthésiante.

— Oui, merci encore pour les conseils, répondit Mila.

Il y eut une pause à l'autre bout du combiné, pendant laquelle Mila eut le temps d'imaginer la divine Paola, assise dans un canapé qui devait être rouge, vert, bleu, ou les trois à la fois.

— Écoute, demain, c'est mon jour de congé, et avec des amis, on va pique-niquer à la plage. Est-ce que tu veux venir ?

Mila se sentit hésiter. Mais elle n'avait aucune raison valable de refuser, à part le fait qu'elle ne connaissait pas les amis de Paola. Celle-ci ajouta :

— Ne t'inquiète pas, ils sont sympas.

— D'accord, ça marche.

— On a prévu d'aller sur une petite plage, un peu plus loin que la pointe Secca. Si tu veux, je passe te chercher, j'ai une Vespa.

— Pourquoi pas. Tu sais où on habite ? demanda Mila.

— Oui, ne t'inquiète pas, je suis déjà venue avec Gina, avant que vous n'arriviez. C'est moi qui ai cueilli les fleurs.

Mila imagina Paola flâner dans la maison, ouvrir les armoires, sentir les draps, examiner l'ameublement ou la décoration vieillissante. Elle n'était pas sûre que cette idée lui plaise vraiment.

— Alors on dit 10 heures, ça te va ?

13

D'un coup sec, Paola recula la Vespa sur sa béquille, avant de suspendre les casques de part et d'autre du guidon. Elle rassembla ses cheveux dans une main et les fit couler au-dessus de son épaule, découvrant, à l'oreille opposée, une petite perle de nacre rose.

— C'est tout près, tu vas voir. On n'en a pas pour longtemps.

Mila hocha la tête et regarda autour d'elle. Au milieu du petit parking où elles s'étaient arrêtées, une voiture de location faisait luire le soleil sur sa carrosserie métallisée. La jeune fille fouilla sa mémoire à la recherche d'un souvenir associé à l'endroit, sans que les lieux lui évoquent quoi que ce soit. La seule chose qu'elle savait était que Paola avait soudain fait demi-tour pour venir s'arrêter sur ce parking, alors qu'elles roulaient vers la pointe Secca.

Mila avançait dans les pas silencieux et parfumés de Paola, qui la précéda pendant quelques centaines de mètres sur un sentier bordé d'hibiscus, de pins odorants et de lauriers-roses en fleurs. La nièce de Gina portait une robe légère, parsemée de pois rouges, qui l'auréolait d'une sorte de fraîcheur propre aux années 50 et dans laquelle, à la grande perplexité de Mila, elle ne semblait pas transpirer. Mila passa sa main dans la masse humide de ses propres cheveux. Visiblement, le casque de la Vespa ne s'était pas contenté de les aplatir soigneusement. Elle allait faire un effet bœuf, tout à l'heure, devant les amis de Paola.

— Tiens, regarde, on y est. C'est le sanctuaire de la Madone de Porto Salvo[26], la sainte patronne des navigateurs. J'adore cet endroit.

Elles venaient de déboucher sur une sorte de petit parvis de pierre blanche, blotti dans un jardin à la végétation dense. Au fond, incrustée dans un bloc de roches qui composaient un mur naturel, se trouvait la façade laiteuse d'une petite chapelle, claire et gaie comme une maison de poupée.

26. « Port-Salut » en français.

— Chaque année, il y a une procession qui monte jusqu'ici, depuis le village. Des centaines de gens prient et chantent derrière un tableau de la Madone, porté sur un palanquin de fleurs. C'est sublime. Tu ne te rappelles pas avoir assisté à ça, ici, quand tu étais petite ?

Mila secoua la tête. La seule procession qu'elle connaissait était celle des Pénitents, qu'elle avait vue à Naples pendant la Semaine sainte, alors qu'elle avait sept ans. Au son d'une marche funèbre et à la lueur de cierges tremblotants, une foule de visages contrits avait envahi la rue, à demi masqués par des capuchons noirs. Elle en avait cauchemardé pendant plusieurs mois.

D'un gracieux petit signe de la tête, Paola l'invita à la suivre vers la chapelle.

— Viens, on va rentrer, ça reste toujours ouvert. Jour et nuit, il y a des femmes de marins qui prient. Elles viennent implorer la Vierge que la mer n'emporte pas leur mari.

Paola poussa la porte de bois qui s'ouvrit sur un soupir d'air froid.

À contrecœur, Mila fit quelques pas à l'intérieur, attendant que ses yeux s'habituent à la pénombre.

Le silence lui sembla opaque, à peine traversé des murmures chuintants d'une femme agenouillée au premier rang. Elle n'aimait pas l'air immobile des églises, ces lumières vacillantes, ces visages angoissants qui semblaient la poursuivre du regard, depuis la toile des peintures sombres.

Pressée de sortir, elle commença à faire le tour de la chapelle, le pas rapide. Prenant soin de faire taire ses sandales, elle jeta un œil aux tableaux accrochés aux murs, un chemin de croix aux étapes plus ou moins usées par les regards et le temps.

Au bout de la nef, elle se surprit à s'arrêter devant la statue de la Madone de Porto Salvo. Elle leva les yeux vers le visage peint, essayant de faire naître une émotion sous le regard de plâtre blanc. De ce côté-là, pas de changement : aussi loin qu'elle remonte dans le temps, elle s'était toujours sentie totalement hermétique à toute forme de religion.

Elle coula un regard discret vers Paola et constata avec surprise que celle-ci s'était agenouillée devant l'autel. Sa robe à pois étalée autour d'elle comme les pétales d'une fleur donnée en offrande, elle priait.

Mila détourna le regard et regagna la sortie, un peu gênée par cette démonstration de piété. Elle pensait que le sol des églises n'était foulé que par de vieux pieds.

Elle poussa la porte de la chapelle en songeant que Paola était vraiment une fille étrange. Elle ne s'était tout de même pas arrêtée juste pour venir *prier* ?

— Ça continue par ici.

Mila suivit Paola le long du mur de roche, jusqu'à ce qu'elle aurait décrit comme une salle en plein air, aménagée de petites tables de bois. Dans la rangée de droite, un couple de vacanciers casquettés écalait des œufs, les visages penchés au-dessus d'un guide touristique. Mila plissa le nez : avec cette chaleur, l'odeur des œufs était très incommodante.

Paola avisa une table vide, flanquée d'un banc sur lequel elle s'installa. On aurait dit que les lieux lui appartenaient. Tandis que Mila bataillait contre la fermeture Éclair de son sac – pourquoi ce genre de misérable petite infortune arrivait-il toujours en face de quelqu'un d'intimidant ? –, elle demanda, piquée par la curiosité :

— Et tu viens souvent ici ?

Paola secoua sa gracieuse tête couronnée de reflets roux.

— Oui, assez. Je trouve qu'il s'y dégage une ambiance particulière.

Elle sourit avant de reprendre :

— Tous les Lampedusiens te diront que ce sanctuaire est l'âme de leur île. Il paraît que ça remonte à la quatrième croisade. L'île est un pont entre l'Afrique et l'Europe et a longtemps servi d'étape pour les pirates et les navigateurs. Quelle que soit leur croyance, ils venaient se recueillir à cet endroit, pour s'attirer la clémence de la mer. Et les villageois laissaient des vivres pour ceux qui s'étaient échoués. C'est de là que vient la réputation de Lampedusa. Le salut, l'hospitalité. Et pour qui que ce soit. Là, par exemple, nous sommes dans le coin qui était réservé aux musulmans.

Mila avala une gorgée d'eau déjà tiède et hocha la tête en silence. Les paroles de Paola faisaient parfaitement écho à ce qu'elle voulait ressentir. Elle aussi aurait aimé faire de Lampedusa son refuge.

Paola marqua une pause qu'elle occupa en tressant rapidement ses cheveux, avant de reprendre :

— Il y a encore des naufragés, aujourd'hui. Je n'en ai jamais vu, je ne viens qu'un mois et demi dans l'année, mais ça ne m'empêche pas de m'y intéresser de très près. Et puis… Gina m'a raconté.

— Ah bon ? répondit Mila, surprise. Elle a vu des pirates somaliens ?

Par hasard, elle avait déjà visionné un bout de reportage sur le sujet, et elle avait du mal à imaginer que ces bandits puissent s'échouer à cet endroit. Surtout que les yachts de luxe dont ils s'emparaient étaient certainement équipés de tous les systèmes de navigation dernier cri.

Paola eut un petit rire au son duquel les joues de Mila s'empourprèrent.

— Non, pas des pirates. En réalité, c'est bien plus triste que ça. Ce sont des gens qui fuient leur pays. Ils partent de la Corne de l'Afrique, mais certains s'échouent ici au lieu d'atteindre le continent. Tu n'en as jamais entendu parler ?

Mila hocha la tête, cherchant à dissimuler l'embarras que lui causait son ignorance.

— Si si, bien sûr.

En fait, elle n'avait qu'une idée très vague de ce que cette réalité recouvrait. Au lycée, elle ne se rappelait même pas avoir évoqué la Corne de l'Afrique. De quels pays s'agissait-il au juste ? Peut-être faudrait-il qu'elle se mette à lire le journal, de temps en temps. Ou qu'elle écoute la radio, plutôt que les vieux CD de rock de son père ou les Red Hot Chili Peppers.

Paola poursuivit, au grand regret de Mila qui aurait largement préféré changer de sujet :

— Ils essaient de fuir clandestinement. *A priori*, cela a vraiment commencé dans les années 90. Une fois, Gina était sur la plage avec les enfants et ils sont arrivés dans une barque, au milieu des vacanciers. Personne ne savait d'où ils venaient. Ils n'avaient rien : pas de papiers, pas d'argent. Il faisait chaud mais la plupart grelottaient. Une femme s'est allongée contre un petit garçon pour le réchauffer. Ma tante m'a dit qu'elle n'oublierait jamais leurs regards. Comme s'ils étaient déjà morts plusieurs fois. Comme si deux mondes étaient subitement entrés en collision.

Mila s'efforçait de se représenter la scène décrite par Paola, la plage, le soleil, la barque avec ces gens dedans, mais elle n'y parvenait pas. Quelque chose clochait. Quelque chose de l'ordre de l'impossibilité. Les images ne collaient pas avec l'endroit. Elles ne collaient pas à cette île sublime dans laquelle s'enracinait l'histoire de sa famille, dans laquelle elle avait décidé qu'elle trouverait une forme de salut, au moins le temps d'un été.

Paola reprit, suivant du doigt les nœuds dans le bois de la table.

— Quelquefois, il est arrivé que des chalutiers retrouvent des corps.

Elle releva la tête vers Mila.

— Au cimetière, il y a des croix qui portent une inscription unique. C'est tout ce qu'on sait d'eux. Une date. Celle où on les a repêchés. Tu n'as pas vu ?

Mila secoua la tête. Le jour de leur arrivée, elle était allée avec son père fleurir la tombe de *Nonna*. Le cimetière était petit, et pourtant elle n'avait pas remarqué les sépultures que décrivait Paola.

Plusieurs minutes s'écoulèrent, pendant lesquelles ni l'une ni l'autre n'ajouta quoi que ce soit. Au bout du silence, Paola pivota sur le banc, replia ses jambes sous elle et les entoura de ses bras blancs.

— Il y a aussi une statue de la Madone au fond de l'eau, en face de la plage des lapins. Elle est à quatorze mètres de profondeur mais l'eau est claire et la visibilité incroyable. On peut la voir sans bouteilles. C'est sublime. Elle est là, posée sur le sable, avec l'enfant dans ses bras, comme si elle s'était offerte à la mer en échange de la vie des pêcheurs et des clandestins. Si tu veux, on ira. Elle a été bénie par Jean-Paul II avant d'être immergée, et…

Mila n'écoutait plus. Derrière le rideau de paroles de Paola, qui se transformait en vague brouhaha, une famille venait de s'installer autour d'une table.

Un homme avec un sac à dos bleu, une jeune fille en jean dont la mauvaise humeur transpirait jusque dans la démarche, une longue femme aux cheveux de nuit, tirant par la main un petit garçon en bermuda rayé, lancé dans une conversation que rien ne semblait devoir arrêter.

Mila déglutit. Elle cala de nouveau son regard sur celui de Paola qui, sous l'arc tranquille de ses sourcils, la fixait avec étonnement.

— Ça va, Mila ?

— Mmmh ?

— Tu n'as pas l'air très bien. Tu te sens mal ?

Mila se leva et se cogna le genou en enjambant le banc de bois. D'une voix trop sèche pour être tout à fait cohérente avec sa réponse, elle lâcha :

— Non, ça va, merci. On devrait peut-être y aller, non ?

Paola l'imita, surprise. Mais au soulagement de Mila, elle ne posa aucune autre question.

— Oui, bien sûr. Allons rejoindre les autres.

Plus tard, avant de grimper sur la Vespa, Mila demanda :

— Paola… tu fais quelque chose, le 18 juillet ?

14

Paola venait de s'arrêter auprès d'un garçon installé sur une très grande natte ourlée de jaune et qui regardait en direction de la mer, écouteurs sur les oreilles. Sa tête décrivait de petits hochements saccadés, et Mila se demanda quel genre de musique il pouvait bien écouter. Elle était d'avis que les goûts musicaux en disaient long sur la personnalité. Et pour elle, deux choses étaient absolument rédhibitoires : le rap et les chanteuses à voix.

Paola s'agenouilla à ses côtés et lança :

— Salut Ugo !

Quand il l'aperçut, un large sourire fendit la bouche du dénommé Ugo. Vu de profil – Mila était restée en retrait –, il semblait plutôt athlétique. En tout cas, sous son tatouage, ses biceps se dessinaient parfaitement. Peut-être était-ce le genre de garçon superficiel et suffisant, uniquement préoccupé par son apparence, la chambre tapissée de photos de vedettes bodybuildées. Elle était curieuse de voir quel visage il avait. Ugo ôta rapidement ses écouteurs et répondit :

— Hey, Paola ! Qu'est-ce que tu faisais ? Ça fait un moment qu'on est là !

— On a traîné un peu avec Mila. Mila, je te présente Ugo Tuccio. 100 % Lampedusien.

— Et fier de l'être ! Pas une goutte de sang italien, comme certains ! renchérit-il en attirant Paola contre lui pour lui donner une petite bourrade, ce qui la déséquilibra. Elle se dégagea en riant.

Mila s'avança et salua le jeune homme, un peu mal à l'aise. Il lui rendit son salut sans la dévisager de la tête aux pieds, ce qui la tranquillisa. Ugo avait des yeux très noirs ombragés de cils incroyablement longs, presque féminins. Par rapport à son cou massif, ce visage plutôt délicat contrastait étrangement, comme s'il ne correspondait pas.

— Salut Mila. Tu es en vacances ? Tu restes jusqu'à quand ?

— Jusqu'à début août seulement. Mais j'espère bien revenir l'année prochaine.

Paola renchérit :

— Tu sais, je t'en ai parlé. C'est la petite-fille de Maria-Santa Ovido. La Pointe aux orangers.

Les yeux d'Ugo s'éclairèrent, comme s'il comprenait enfin.

— Ah oui, bien sûr ! Alors bienvenue à Lampedusa, Mila. Si tu as besoin de quoi que ce soit, surtout n'hésite pas.

Paola installa ses affaires et Mila l'imita. Sur la natte, plusieurs autres sacs, des serviettes, des vêtements, des crèmes solaires, des livres, une glacière, un poste de radio et deux matelas gonflables indiquaient qu'Ugo n'était pas seul.

— Où sont Olivia et Raffaele ? demanda Paola en ôtant sa robe à pois.

Elle portait un bikini à l'imprimé discret, des fines rayures dans des tons lavande. Mila jeta un œil à Ugo. Apparemment, elle n'était pas la seule à avoir remarqué que Paola avait un corps absolument parfait.

Son regard fut à nouveau happé par Paola. Qu'est-ce qu'elle aurait aimé être cette fille-là. Quand on avait la chance de naître avec tant de grâce, la vie devait se traverser comme une balade.

— Ils sont dans l'eau, répondit Ugo.

— On y va ? proposa Paola. Il fait trop chaud pour rester sur le sable.

Le jeune homme se leva presque en sursaut. Mila sourit intérieurement. Ugo semblait en effet avoir très très chaud, surtout depuis l'arrivée de la nièce de Gina. Pas de doute, lui aussi s'était heurté à sa beauté de madone. Et même s'il la connaissait depuis beaucoup plus longtemps que Mila, il semblait ne s'en être toujours pas remis.

D'une main experte, Paola noua ses cheveux en chignon.

– Tu viens avec nous, Mila ?

– Pas tout de suite. Il faut que je me mette en maillot. Allez-y, je vous rejoins.

– D'accord !

Mila regarda Ugo et Paola courir en direction de l'eau turquoise. Elle décida de rester sur la natte quelques instants. Elle avait envie de se retrouver un peu avec elle-même. Elle enfouit ses mains dans le sable brûlant et se concentra sur ses sensations. La finesse du sable entre ses doigts, l'intensité des couleurs, le goût de sel qu'elle sentait déjà sur ses lèvres, le roulement de la mer, son odeur. Cette plage était magnifique, et ils y étaient presque seuls.

Rapidement, elle s'approcha des écouteurs d'Ugo. Il avait oublié de l'éteindre. Massive Attack. Il y avait pire. Elle éteignit l'iPod et s'allongea sur la natte, tout près du sac de Paola.

Elle ferma les yeux.

Elle songea qu'elle était bien.

Le reste de la journée ne la déçut pas. Ugo, Olivia et Raffaele étaient d'une gentillesse et d'une simplicité vraies. Ils restèrent sur la plage jusqu'à la nuit tombée, s'efforçant de mettre Mila à l'aise, de répondre à ses questions, de s'intéresser à elle. Elle découvrit ainsi – avec surprise – qu'Ugo était en faculté d'histoire politique à Palerme, tandis qu'Olivia et Raffaele, maître-nageuse pour l'une et mécanicien pour l'autre, ne s'étaient jamais résolus à quitter Lampedusa. En comparant les dates de naissance de leurs parents respectifs, Mila et Olivia en avaient même déduit que leurs pères avaient dû partager la même cour d'école primaire.

— Et toi, Ugo, qu'est-ce qu'il fait, ton père ? avait demandé Mila.

Sous les cils soyeux, Mila avait aperçu une ombre fugitive traverser les yeux du garçon. Ce n'était pas uniquement de la gêne, il y avait autre chose sur quoi elle n'avait pas réussi à mettre des mots.

— Il est pêcheur. C'est pas glorieux tous les jours. Mais bon, on fait avec. Je pense que c'est plus facile pour eux depuis que je ne suis plus à leur charge. À Palerme, je bosse le soir et le week-end au McDo. Et quand je rentre, je file un coup de main à mon père. Sur le bateau. La mer, chez nous, c'est… une histoire de famille. Une drôle d'histoire, à vrai dire.

Paola lui avait mis la main sur l'épaule.

Sur le chemin du retour, les bras autour de la taille de Paola, Mila regardait le paysage défiler. Le ciel était rose, orangé, presque parme par endroits. Ce qu'on disait sur Lampedusa était vrai. Elle-même venait d'expérimenter à quel point cette île et ses habitants pouvaient être accueillants. Elle se remémora les premiers jours ayant suivi son arrivée, lorsqu'elle s'était sentie si mélancolique et frustrée. Dix jours plus tard, les choses avaient changé du tout au tout. L'île lui était déjà familière, et même à l'approche du 18 juillet, elle s'y sentait bien mieux que n'importe où ailleurs. Être bien quelque part : ce constat lui était infiniment rassurant.

Meloata, 16 ans et 5 mois

Mes premiers souvenirs sont les mots d'un appel rassurant et familier.

Allah est le plus grand Allah est le plus grand Allah est le plus grand Allah est le plus grand…

Je m'y suis agrippée comme on s'accroche à un sourire au milieu d'une foule hostile. J'ai ouvert les yeux sur des murs blancs et flous tout droit dressés vers un carré de ciel bleu. J'atteste qu'il n'y a de dieu qu'Allah J'atteste qu'il n'y a de dieu qu'Allah…

La voix ruisselait sur moi et je voulus ouvrir les lèvres comme pour m'emplir du nectar bienfaisant.

J'atteste que Muhammed est le messager d'Allah J'atteste que Muhammed est le messager d'Allah…

Enfin ! Al hamdoulillah ! *Par la Grâce et la Miséricorde divines, j'étais arrivée dans le Jardin des délices où coulent mille fleuves de miel et de laits. Désormais, je ne ressentirai plus jamais ni tristesse ni chagrin. Je serai éternellement pure, vierge à jamais, et sous mon voile, ma peau aurait l'éclat de mille perles de corail. Plus aucun fluide immonde, plus aucune humeur ne sortirait de mon être parfait. Plus aucune injustice ne me serait faite,* fût-ce d'un creux de noyau de datte[27].

Allah m'avait libérée, j'allais être heureuse pour l'éternité.

Venez à la prière Venez à la prière...

Venez à la félicité Venez à la félicité...

Et puis j'ai entendu des bruits de pas, des chuchotis d'étoffes. J'ai tenté de me relever.

La prière est meilleure que le sommeil La prière est meilleure que le sommeil...

Le mince filet de lumière blanche qui filtrait entre mes paupières mi-closes me faisait l'effet d'une torche braquée dans mes yeux en pleine obscurité. J'avais si mal à la tête. Pouvait-on souffrir au Paradis ?

J'ai porté les mains à mon visage. Sous mes doigts, mes traits me paraissaient tuméfiés, croûtés, douloureux.

Allah est le plus grand Allah est le plus grand...

27. Référence à la sourate 4, verset 124 du Coran.

Doucement, j'ai baissé les yeux sur mes jambes étendues devant moi. Je distinguais à peine deux masses sombres aux contours incertains. J'ai voulu les bouger.

Il n'y a de vraie divinité hormis Allah…

Mon gémissement s'est perdu dans la scansion de la dernière phrase, tandis que je réalisais que la voix était celle du muezzin qui appelait à la prière.

Tout m'est alors revenu brutalement, comme l'une de ces gifles que je recevais, petite, et qui me laissaient chancelante, désorientée : la décision de quitter mon pays, le passage de la frontière, le camp de réfugiés, les mois de travail à Khartoum pour financer la suite du trajet, les voyages à pied, en bus, en 4 × 4 ou sous les bâches d'un camion, les passeurs, le sable, la chaleur, les matraques, les soldats, le froid, les coups, l'odeur des cadavres, le sexe, l'argent, l'argent, le sexe, les coups et enfin, alors que nous avions déjà survécu à la traversée du Soudan, alors que nous pensions déjà à Tripoli, les trafiquants libyens qui avaient arrêté notre véhicule, au milieu de la mer de sable du Fezzan.

Je me suis à nouveau étendue par terre, recroquevillée en chien de fusil, joue contre les pavés frais de la ruelle. Peu importe l'endroit où j'étais puisque ce n'était pas le Paradis.

Je ne pouvais plus continuer. Je voulais que tout s'arrête. Trop de dégoût, de fatigue.

J'ai à nouveau entendu une voix, différente de celle du muezzin cette fois. Plus proche de moi, plus réelle. Je me suis senti transportée par des bras. J'aurais voulu voir mais comment soulever à nouveau ces paupières de pierre ? Je me suis laissé emporter comme un tas de branchages que l'on va brûler, comme des détritus qui encombrent la rue.

La voix m'a lavée, soignée. Elle a fait couler de l'eau entre mes lèvres craquelées. Elle m'a allongée dans un vrai lit, habillée de vêtements frais. M'a fait réaliser à nouveau que j'étais quelqu'un. Meloata, d'Asmara, Érythrée. Jamais ce prénom ne m'avait paru aussi étranger.

Depuis le début du voyage, je crois que c'était la première fois que je ne m'étais pas sentie comme autre chose qu'une proie. J'aime repenser à cela, comme on se love dans des souvenirs rassurants quand autour de soi, rien ne va.

La voix était celle d'une jeune femme qui s'appelait Assia. Elle était grande, solide. La robustesse de son corps contrastait avec ses longues mains délicates qui vérifiaient constamment qu'aucune mèche ne se dérobe de son hijab. Elle les choisissait uniquement dans des étoffes vert-brun, un ton plus soutenu que ses yeux clairs.

Je la trouvais belle masha'Allah[28], *même s'il est possible qu'elle ne le soit pas vraiment, dans la réalité.*

Pas plus que moi, Assia ne sut expliquer comment j'étais arrivée à Tripoli. Elle m'avait trouvée dans cette ruelle, un matin, et m'avait traînée chez elle comme on recueille un chien blessé, entre déplaisir et pitié. Je crois que je ne saurai jamais vraiment ce qui s'est passé. La dernière chose que je me rappelle est la pièce dans laquelle les trafiquants nous ont séquestrés, en attendant que nos familles réalisent les transferts d'argent. Nous étions encore loin de Tripoli. Comment se fait-il qu'ils ne m'aient pas vendue à des trafiquants d'organes ? Qui a payé la rançon pour moi qui n'avais plus aucun parent au pays ? Pourquoi la mort n'était-elle pas venue me chercher alors que je l'appelais si fort ? Au bout de quelques jours, j'ai décidé d'arrêter de m'interroger. Je devais faire confiance à Allah. Dans Sa grande miséricorde, Il est venu à mon secours, et c'est tout ce dont je dois me rappeler. Soubhan'Allah.

Je crois que j'aurais pu vivre indéfiniment chez Assia. Le manque d'espace n'était plus un problème, la bienveillance du regard qu'elle posait sur moi me suffisait amplement. La traque des migrants,

28. Expression idiomatique arabe souvent utilisée pour signifier l'admiration face à la beauté, la gentillesse ou autres qualités d'une personne.

les camps de détention... peu importait le chaos qui régnait à l'extérieur tant que j'étais en compagnie de ces yeux-là.

Au fond de moi, je savais très bien que cela ne durerait pas. Le jour arriverait où il faudrait que je m'en aille.

Je revois très bien le visage d'Assia à ce moment-là. Nous étions agenouillées en face l'une de l'autre, de chaque côté du petit meuble en bois qui lui servait tantôt de bureau, de desserte ou de table à manger. Il y avait un peu de khôl noir sous ses yeux, une cannette de soda à partager entre nous deux. Dans quelques minutes, il serait temps de faire la Salat al 'Asr, *la prière de l'après-midi.*

— Meloata, il va falloir que tu t'en ailles. Tu ne peux plus rester ici, maintenant que tu vas mieux. Deux femmes seules dans cette maison...

J'ai hoché la tête pour lui épargner la gêne de devoir expliquer. J'avais compris. Les vipères ne tarderaient pas à sortir de la bouche des gens et bientôt, elles ramperaient devant sa porte. Je pouvais déjà très bien imaginer la puanteur, la noirceur de la rumeur souiller les murs de sa maison. Dans mon pays aussi, les amours contre nature étaient interdites[29]. Je ne voulais

29. En Érythrée comme en Libye, l'homosexualité est sévèrement réprimée. Elle est passible de plusieurs années de prison. Dans certains pays d'Afrique, elle est même punie de la peine de mort.

pas que par ma faute Assia se fasse arrêter. L'imaginer recroquevillée contre le mur d'une prison sale me donne toujours la nausée.

— Je comprends, bien sûr. Jazak Allahou khayran[30].

Je crois que je lui ai souri. Comment aurais-je pu lui en vouloir ? Pour avoir caché une clandestine chez elle, elle risquait déjà sa vie. Ce qu'elle avait fait pour moi était déjà bien au-delà de toute la gratitude que je ne pourrais jamais lui exprimer. Elle m'avait offert le présent.

Mais j'avais si peur de pousser la porte de cet appartement. Oublier Meloata, redevenir une proie.

Je n'avais jamais prévu de poursuivre ce voyage toute seule. Nous étions cinq étudiants à avoir quitté l'Érythrée en même temps et nous nous étions juré de tout faire pour rester ensemble, jusqu'à la fin. Où étaient-ils à ce moment-là ? Je n'étais pas seule, j'avais Allah, mais malgré toute la confiance que j'avais en Lui… arriverais-je à tenir encore ?

Assia ne m'abandonna pas sur le seuil de sa porte. Elle avait pris de gros risques pour me trouver le nom d'une organisation clandestine qui pouvait m'aider.

Avant de quitter ce minuscule endroit qui fut le seul lieu de paix de tout mon voyage, je lui ai demandé une faveur.

---

30. « Qu'Allah te récompense par un bien » : formule utilisée pour remercier une personne en invoquant Allah pour qu'Il la récompense.

Devant le miroir, j'ai regardé ses longs doigts courir autour de ma tête. Le geste hésitait, maladroit. Les mèches sombres tombaient sur mes épaules, sur le sol, sans autre bruit que le petit staccato métallique des lames qui coupaient, tranchaient, sectionnaient. Puis elle m'a aidée à serrer une bande de tissu contre ma poitrine, à revêtir les habits de garçon qu'elle avait achetés pour moi. J'ai enfoncé une casquette sombre sur mon crâne. Je ne savais pas de quoi la suite de mon trajet allait être faite, mais j'étais certaine d'une chose : depuis le début, être une fille ne m'avait apporté que des problèmes supplémentaires.

Avant de tourner la poignée de la porte, Assia m'a serrée dans ses bras.

— N'oublie pas qu'Allah est avec toi. Aie confiance en Lui.

À la nuit tombée, j'ai quitté Assia avec l'impression de me jeter du haut d'un minaret. Rasant les murs, marchant vite, tête baissée, j'ai prié Allah pour ne pas penser, pour Lui demander de me donner le courage qui me manquait. Hasbi Allahou wa'l nimal wakil[31].

J'ai réussi à me rendre dans le lieu indiqué par Assia. Les locaux étaient situés dans un quartier pauvre de la ville, à une demi-heure de marche de

31. « Allah me suffit, il est mon meilleur garant. »

chez elle. Au fond d'une ruelle mal éclairée, dans un immeuble délabré que rien ne semblait distinguer des autres, une femme voilée m'a discrètement ouvert la porte. À l'intérieur, il y avait de la lumière, des tentures colorées au mur et plusieurs jeunes aux visages minces, aux traits durs. J'ai aimé la sincérité de cette femme, sa discrétion, sa retenue masha'Allah. *Jamais elle ne m'a demandé pourquoi j'avais quitté mon pays. Jamais elle ne m'a demandé les épreuves que j'avais traversées pour arriver jusqu'en Libye. Jamais ses yeux ne se sont posés de manière insistante sur mon corps perdu dans des vêtements masculins.*

Elle m'a confirmé ce que je savais déjà. Avec mes cinq amis, nous n'étions pas partis à l'aventure. Ce voyage, nous l'avions préparé, réfléchi, comme on observe un scorpion avant de choisir la technique la plus adaptée pour le tuer.

En Libye, et peut-être encore moins qu'ailleurs, il n'y avait pas de place pour les gens comme nous. Il fallait sortir du pays, vite. Depuis que le colonel Kadhafi avait fait de la traque des migrants une priorité, notre temps était compté. Dès la frontière, les arrestations s'abattaient sur les véhicules des passeurs comme les criquets sur les récoltes. Arriver à Tripoli relevait déjà de l'exploit[32].

32. À partir de 2003, le régime de Kadhafi fait de la lutte contre l'immigration clandestine vers l'Europe une priorité, en échange d'accords d'association avec l'Europe et notamment avec l'Italie alors dirigée par Silvio Berlusconi.

Je le savais : mon seul espoir était de réussir à vivre dans la clandestinité jusqu'à trouver une place sur un bateau pour l'Europe insha'Allah.

La femme s'est approchée de moi et m'a demandé tout bas, afin que personne n'entende :

— Tu as l'argent pour continuer ?

J'ai secoué la tête. Cela faisait un moment qu'il ne me restait plus rien.

— Alors tu devras travailler.

— Mais comment être sûre de ne pas me faire arrêter ?

— Tu ne seras jamais sûre, certains soldats fouillent les maisons des employeurs potentiels. Mais certains ici sont là depuis longtemps. Ils connaissent les endroits où il faut aller.

Elle s'est retournée et a lancé :

— Amir ! Veux-tu venir ?

À son appel, le dénommé Amir s'est avancé. Il m'a paru plus jeune que moi. Quatorze ans peut-être ? Long et fin, il portait un pantalon de toile brun et un T-shirt informe qui tombait comme il pouvait sur ses épaules légèrement voûtées. C'est surtout son visage qui m'a marquée. Il avait encore les traits d'un adolescent, mais son regard était celui d'un soldat.

Je me demandais d'où il était parti, ce qui l'avait conduit ici. Avait-il fait le chemin tout seul ? Avec un frère, un ami ? Qu'est-ce qu'il fuyait ? La famine, la guerre, la dictature, la torture ? Ou rêvait-il simplement d'une vie meilleure ? On était avant tout des hommes et des femmes, avec des histoires, des parcours de vie différents. Qui tentaient de construire leur futur sur les ruines de leur passé. Et qui avaient des capacités d'espoir démesurées.

La femme a annoncé :

— Je te présente Amir. Il vient d'Érythrée aussi. Cela fait huit mois qu'il est à Tripoli.

Amir a hoché le menton en me considérant de haut en bas. J'ai baissé légèrement la tête, rentré mes épaules sur ma poitrine bandée.

— J'ai besoin de travailler, ai-je déclaré.

Il n'a rien répondu, continuant à me dévisager.

La femme a demandé :

— Pourras-tu lui montrer ?

Il a acquiescé. Puis, avec une mimique tellement adulte par rapport à son jeune âge, ironique et désabusée à la fois, il a murmuré :

— Pour les filles, c'est presque plus facile.

15

Mila souleva ses paupières alourdies de sommeil.

Elle était bien, dans le velours de son réveil. Elle laissa courir ses yeux sur le trait de lumière qui, à travers les volets, caressait ses jambes brunes. Pendant les quelques secondes qui suivirent, tout fut évident, parfait. Sous ses bras immobiles, il lui sembla avoir une conscience accrue de la raideur des draps, rêches comme seuls ceux de *Nonna* pouvaient l'être. Elle était de nouveau la petite et brune Mila, six ans d'insouciance et de malice. Cachée derrière les draps claquant sur l'étendage, elle épiait ses cousins qui la cherchaient en piaillant. Elle glissait furtivement la tête entre deux linges, poussait un criaillement de mouette avant de s'enfuir, poursuivie par ses assaillants qui se jetaient dans les cotonnades tout juste mises à sécher. À ce moment-là – à croire qu'elle avait un sixième sens pour regarder dehors au mauvais moment –, *Nonna* sortait sur la terrasse comme un diable de sa boîte. Toute petite dans sa robe noire, elle les abreuvait de copieuses remontrances. Mila et ses cousins déguerpissaient en riant, sous les bourrasques de patois sicilien de la vieille dame portées par le vent.

Mila sourit. Elle aurait aimé revoir *Nonna*, poser les yeux sur son teint de châtaigne et caresser la peau fine de ses joues, encore une fois.

Quand les dernières brumes du sommeil se furent dissipées, Mila se leva. Elle ouvrit les volets et regarda le soleil rebondir sur les murs clairs.

Pour quelques instants encore, elle s'imagina que cette matinée était normale, qu'au-dessus de la Pointe aux orangers, le soleil brillerait avec la même intensité, que les roues de son vélo feraient le même bruit sur les graviers, que dans la cuisine le parfum de la mer se mêlerait toujours à celui, caramel et bois brûlé, du café fraîchement préparé.

Elle ôta son T-shirt encore chaud de l'odeur de la nuit, passa rapidement un short en jean et un débardeur blanc. Puis, attrapant son sac à dos à la volée, elle sortit dans le couloir, abandonnant son lit défait et ses vêtements épars sur le parquet.

En haut de l'escalier, elle tendit l'oreille. Avec soulagement, elle constata qu'aucun bruit ne montait jusqu'à elle. Elle espérait que le rez-de-chaussée serait vide, soit parce que ses parents seraient encore endormis, soit parce qu'à l'inverse, ils seraient partis quelque part, incapables de supporter plus longtemps leurs pensées démesurées par le voile de la nuit, déformées comme des ombres portées.

Elle n'avait pas envie de les croiser aujourd'hui. Elle voulait juste glisser quelques fruits dans son sac à dos, griffonner un petit mot et partir à vélo. Elle ne reviendrait que le lendemain, après la soirée sur la plage proposée par Paola.

Elle avait déjà prévu ce qu'elle ferait avant de la rejoindre. D'abord, elle irait jusqu'au cimetière. Elle remplacerait les fleurs sur la tombe de *Nonna*, puis elle chercherait les croix dont Paola avait parlé. Elle ne mettait pas en doute la parole de la nièce de Gina – comment aurait-elle pu – mais elle espérait constater que les croix étaient très anciennes. Ou bien peu nombreuses. Dans le fond, ce qu'elle souhaitait, c'était trouver un moyen de minimiser ces faits qui ternissaient l'image de son Lampedusa.

Puis elle retournerait à l'Albero del Sole, le point culminant de l'île. Elle y était déjà allée à plusieurs reprises, s'adossant au crucifix et profitant de la vue à 360°. L'endroit l'attirait, sans qu'elle sache précisément pourquoi. Le lieu était dépouillé, exposé aux éléments. Il lui semblait qu'il y régnait pourtant une atmosphère très particulière, chargée d'histoires, de légendes, de vies. La dernière fois, elle y avait passé un long moment, le regard face à la mer. Malgré elle, ses pensées avaient dérivé jusqu'à ces gens de la Corne de l'Afrique. Comment vivaient-ils ? Est-ce que chez eux aussi, les tubes formatés de Beyoncé résonnaient sur les ondes ? Qu'étaient-ils en train de faire à l'instant précis où, dressée tout en haut de son île, elle avait regardé dans leur direction ? Est-ce que certains se préparaient vraiment à embarquer, dans le secret de la nuit, comme Paola le lui avait raconté ? Qu'est-ce qui pouvait bien les pousser à entreprendre un voyage si risqué ? L'envie de vivre plus confortablement, à l'occidentale, avec écran plat, aspiration centralisée et plats aseptisés à réchauffer ?

Elle avait cherché quelques articles sur Internet, lu les plus compréhensibles. Elle en était ressortie un peu confuse. Elle avait du mal à percevoir ces hommes et ces femmes dans leur individualité.

Il lui semblait que dans les médias du monde entier, les clandestins, d'où qu'ils partent et où qu'ils arrivent, étaient des anonymes. Un « problème social », une catégorie. Ils venaient d'un monde totalement inconnu dont elle ne savait qu'une chose : il était à mille lieues du sien. Ils semblaient n'avoir d'existence qu'à travers les lignes de ces articles.

Mila descendit l'escalier, en prenant bien soin d'attaquer chaque marche du pied droit, l'une des minuscules obligations qu'elle s'imposait, quand elle était petite, lorsqu'elle voulait qu'un vœu se réalise.

Elle entra dans la cuisine et sursauta, cueillie par le regard de son père.

Une éternité ou deux s'écoulèrent avant que Mila ne s'approche de lui pour l'embrasser. Un baiser rapide sur la joue, une esquisse, plutôt.

Immédiatement, comme par réflexe, elle se retrancha à nouveau derrière la pensée qu'il s'agissait d'une matinée tout à fait normale. Chimère qui vola en morceaux dès qu'elle aperçut sa mère.

Accoudée à la table de la cuisine, Lucia lui offrait un sourire vide, absent, ce même sourire blanc qui semblait devoir revenir abîmer son visage tous les ans.

Ce fut la voix de son père qui, la première, déchira le silence :

— Qu'est-ce que tu vas… faire aujourd'hui, Mila ?

La jeune fille ouvrit le frigo, consciente de la gêne qui alourdissait la question de son père. Elle se baissa devant le bac à légumes et piocha çà et là quelques fruits, pêches, pommes, peu importe, sans prendre le temps de les choisir. Elle voulait faire vite. Elle avait l'impression que sa simple présence était une offense, comme si, à elle seule, elle rappelait à ses parents l'absence de l'autre.

— Ne t'inquiète pas pour moi. Je vais aller me balader dans l'île.

— Toute seule ?

Mila déposa les fruits dans son sac. Prenant bien soin d'éviter le regard d'Ivo, elle murmura :

— Non. Je retrouve Paola après le boulot. D'ailleurs, je dormirai peut-être chez Gina, ce soir. Ne m'attendez pas.

Mila sortit du garage, poussant son vélo vert sur les graviers. Une grosse boule lui obstruait la gorge, et elle n'avait qu'une idée en tête : fuir ses parents. Dans quelques heures, elle rejoindrait Paola et la suivrait, quel que soit l'endroit. N'importe où ailleurs serait un refuge idéal.

Elle s'apprêtait à se mettre en selle lorsqu'elle aperçut son père sur les marches de la maison.

Pendant quelques secondes magistrales, elle le regarda s'approcher d'elle, grand et imposant, quelques ombres d'orangers dansant sur son visage de sorcier, à la manière des flammes dans son atelier.

— Mila ?

Elle planta son regard dans les graviers, pour se protéger des émotions détestées.

— Mmmh ?

Il lui mit la main sur l'épaule et souffla :

— Tu vas bien ?

Elle ne répondit pas. Ivo poursuivit :

— Laisse-lui encore un peu de temps.

Mila murmura :

— Est-ce que parfois, tu imagines comment serait notre vie si rien de tout ça n'était arrivé ?

Son père soupira et l'attira contre lui. Mila pouvait sentir son cœur battre derrière sa chemise en lin.

— Moi, murmura-t-elle, j'y pense tout le temps.

Ivo s'écarta d'elle et la regarda avec un sourire triste.

— À quoi ça sert, sinon à te faire du mal, Mila. Tu ne peux pas...

Sans écouter la suite, Mila enfourcha son vélo. Rageusement, elle donna les premiers coups de pédales. Quelques secondes plus tard, elle avait disparu dans l'allée.

16

Mila errait dans les rues saturées de soleil. Elle était passée devant le cimetière et finalement ne s'était pas arrêtée. Après la discussion avec son père, elle avait déjà eu suffisamment de pensées pénibles à gérer pour ne pas avoir à en rajouter.

Elle venait d'entrer dans le quartier du port et l'haleine de la mer était partout autour d'elle.

Dans ce quartier, chaque ruelle avait sa propre identité sonore, uniquement perceptible pour celui qui faisait l'effort d'écouter vraiment, de s'ouvrir aux lieux plutôt que de simplement les emprunter pour aller d'un point à un autre. Et c'est précisément ce qu'elle avait l'impression de faire depuis qu'elle était à Lampedusa. Ici, l'écho particulier des semelles sur les pavés. Là, le chuchotis d'une fontaine publique au robinet un peu rouillé, impossible à fermer. Et là, le grattement monotone d'un couteau raclant les écailles des poissons, derrière une fenêtre ouverte sur une cuisine sombre.

Elle s'approcha d'un vilain chat, qui, allongé dans une flaque de soleil, détourna le museau en clignant des yeux vairons.

Elle le dépassa en constatant que son humeur était redevenue légère.

Lampedusa exerçait sur elle une sorte de pouvoir mystique, puissant. Bien au-delà des souvenirs qu'elle avait gardés. À quoi cela pouvait-il bien tenir ? C'était idiot, mais il lui semblait que l'île avait le pouvoir de dissiper les tourments.

Elle obliqua sur la *via Roma*, où zigzaguaient plusieurs grappes de vacanciers à la recherche de l'endroit idéal pour se reposer, boire ou grignoter quelque spécialité. Mila se fit la réflexion que chacune des enseignes semblait attirer un type de clients en particulier, comme si, à la place des suggestions du jour, les ardoises indiquaient les caractéristiques sociodémographiques appropriées. Familles + progéniture turbulente. Jeune couple (sourires béats et surnoms animaliers). Gens du coin uniquement : rumeurs et prévisions météorologiques acceptées.

Mila s'arrêta devant une terrasse ombragée de parasols blancs, qui abritaient des petites tables recouvertes de mosaïques aux teintes locales : du jaune mimosa, du rouge vermillon et des bleus découpés dans les eaux de l'île. Tandis qu'elle repérait une table vide, près d'un olivier en pot, elle se demanda ce que l'ardoise de ce bar aurait pu indiquer. Jeunes gens cherchant à fuir la compagnie de leurs parents ?

Mila agita le bras à l'intention de Paola qui arrivait. En l'apercevant, celle-ci lui renvoya un salut réjoui. Elle se fraya rapidement un chemin entre les tables, dépassant un type moulé dans un polo Ferrari qui lui décocha un sourire à faire bronzer tous les clients.

Elle était encore plus jolie que la veille, et que tous les jours précédents. Elle avait cette beauté un peu ancienne qui rappelait celle de Scarlett Johansson dans *La Jeune Fille à la perle*, un film que Mila avait beaucoup aimé, même après avoir lu le livre. Elle se leva pour l'embrasser, le cœur légèrement affolé.

— Salut Paola.

— Salut Mila, comment ça va ?

— Ça va, merci. Et toi ?

— Moi aussi.

Tandis qu'elle tirait une chaise pour s'asseoir, elle demanda d'un ton enjoué :

— Alors, tu ne m'as toujours pas expliqué ! Pourquoi est-ce que tu tenais tellement à ce que l'on sorte ce soir ? On fête quelque chose ? Ton anniversaire ?

Les yeux de Mila s'agrandirent. Elle ne put s'empêcher de se mettre à rire. Il y avait vraiment des hasards malheureux.

Par mimétisme, Paola l'imita, avant de hasarder, visiblement plus surprise qu'amusée :

— Qu'est-ce qu'il y a ? J'ai dit quelque chose de drôle ?

Le rire de Mila s'éteignit d'un coup, comme si quelqu'un avait brusquement débranché l'alimentation.

— Non, pas vraiment. Excuse-moi. Tu n'y es pour rien.

En silence, elle se mit à scruter Paola. Tout son être dégageait cette incroyable sérénité d'icône, cette tranquillité qui semblait clamer que la jeune fille était en harmonie avec sa vie, avec le monde. Qu'elle n'avait pas, et qu'elle n'aurait jamais de 18 juillet pour l'empêcher d'avancer.

— Tu es au courant, pour mon frère ?

Paola fronça les sourcils.

— Au courant de quoi ? Tu as un frère ? Tu ne m'en as jamais parlé. Quel âge a-t-il ?

Elle avait répondu avec une sincérité absolument confondante, ce qui troubla Mila. Elle eut honte d'avoir jugé Gina. Peut-être qu'en fin de compte, elle avait eu la délicatesse de ne rien dire à sa nièce. Pourquoi ?

Mila répondit :

— Disons que pour toujours, il aura cinq mois. Je croyais que ta tante t'avait raconté. La dépression de ma mère, sa… sa tentative de suicide. Tu ne sais rien de tout ça ?

Les yeux de Paola avaient pris l'éclat figé de ceux d'une poupée de porcelaine.

— Non, je t'assure, je ne sais rien du tout. Tu me fais peur. Qu'est-ce qui vous est arrivé ?

Gebriel, 22 ans et 2 mois

Je le sais depuis que je suis tout petit : l'Europe, c'est la promesse d'une vie meilleure. Je suis fort, courageux. La fatigue ne me fait pas peur.

Là-bas, je serai discret, laborieux, je ferai les travaux dont personne ne veut.

Je serai heureux de ce qu'on me donnera. Je n'irai pas pour prendre la place de qui que ce soit. J'irai parce que je suis né au mauvais endroit. J'irai parce que j'ai envie de vivre.

Voilà trois fois que je tente le voyage.

La première fois, j'ai réussi à aller jusqu'à Tripoli. Mais je n'ai pas été assez prudent. La milice m'a enfermé dans une prison à Misratah. Nous étions trente-cinq, dans vingt mètres carrés, c'était difficile. Je ne peux pas dire combien de temps j'y suis resté : les maladies et les fous et la torture et les morts m'ont fait oublier que la vie se découpait en jours, en semaines, en mois. Tout ce que je sais, c'est que quand je suis sorti, mes cheveux avaient atteint mes épaules.

Heureusement, je n'ai pas été renvoyé en Érythrée. J'ai été mis dans un camion pour le Soudan, là où j'avais été enregistré comme réfugié.

La deuxième tentative, c'était il y a un an et demi. J'ai eu moins de chance : les soldats nous ont attrapés à peine la frontière passée.

C'est dur, de refaire le chemin à l'envers. C'est dur, de recommencer.

Mais moi, je sais que je peux y arriver. L'espoir, il est toujours là, dans mon cœur et de l'autre côté de la mer. Je pense aux villes d'Europe. Rome, Paris, Amsterdam. La tour Eiffel !

Cette fois, c'est la bonne. Je le sens, la chance est à mes côtés, c'est à mon tour d'être aidé. D'ailleurs, je suis resté six mois à Tripoli sans me faire arrêter.

Là-bas, j'ai loué une chambre avec d'autres clandestins. Oh, pas grand-chose, juste de quoi s'allonger. On était onze : sept Érythréens, trois Somaliens et un Soudanais.

La journée, on travaillait chez des Libyens. Tous les matins, à 4 heures, il fallait attendre au bord de la route. Et puis les Toyota des recruteurs arrivaient. Moi, je ne suis pas difficile, je peux tout faire, alors ils me connaissaient bien. Je gagnais 20 dollars libyens par jour, parfois plus, parfois moins : j'ai vidangé des toilettes, récuré les sols, réparé les voitures, frotté des vêtements souillés, construit des murets, taillé des arbres, porté des briques et des caisses d'armes. Il y a bien des choses que j'aimais moins faire... ces choses-là. Mais je fermais les yeux et je les faisais quand même. Et je pensais à l'Europe. Là-bas, il paraît qu'il y a des tulipes, et de la neige aussi.

Cela faisait quelques semaines qu'on avait l'argent pour payer le bateau. 20 000 dollars à nous onze. On aurait pu partir, mais moi, j'ai dit aux autres qu'il fallait attendre de trouver un bon passeur. C'était la première fois que j'étais si proche d'y arriver. La chance, il ne faut pas la gaspiller. Moi, je ne voulais pas embarquer dans la cale de ces vieux bateaux de pêche qui se font arrêter à peine l'ancre levée.

Il n'y a qu'Amir qui m'a écouté, et puis aussi Awat, Amanuel et sa copine, Saafiya. Les six autres, ils sont partis quand même, en plein mois de décembre. Moi je leur avais dit : à cette période de l'année, la mer Méditerranée, elle est mauvaise.

Dans le bateau, ils étaient 189. On les a tous vus revenir sur la plage, deux jours après le départ. Mais c'est la mer qui les a ramenés. Ils étaient gonflés comme des raisins secs mis à tremper, même les bébés.

Alors Amir, Awat, Amanuel, Saafiya et moi, on a encore attendu. D'autres clandestins sont venus prendre les places vides dans la pièce qu'on louait : Meron, Pietros, Meloata.

Et puis le moment est arrivé.

Le passeur nous a fait mettre à l'arrière d'un camion, entre des caisses de légumes, sous une bâche bleue. Des tomates. Je le sais, j'en ai mangé trois.

On a roulé jusqu'à Zouara. Deux fois, j'ai soulevé la bâche, un tout petit peu, juste pour observer un coin de nuit.

À 2 heures du matin, il nous a fait descendre. Personne n'a rien dit. On savait tous ce qu'on avait à faire.

On a couru jusqu'à la plage et on a avancé dans l'eau noire jusqu'au Zodiac. On a avancé vers notre vie.

17

— Alors, qu'est-ce que ce sera, pour les *belle raggaze*[33] ?

Avec l'assurance propre aux dragueurs amoureux de leur personne, le serveur était penché, les mains bien à plat sur la mosaïque de la table. Sa tête décrivait des allers-retours entre Mila et Paola, comme s'il était entendu que l'une et l'autre se consumaient déjà pour son torse velu et sa crinière ondulée.

Mila commanda une bière locale, tandis que Paola optait pour un sirop d'orgeat.

Le serveur repartit, laissant dans son sillage l'empreinte d'une œillade ridicule et les épaisses volutes d'un parfum sucré.

---

33. « Jolies filles » en italien.

— Je vais te raconter, déclara Mila en détachant ses mots.

Sur la terrasse ensoleillée, à côté de ces anonymes qui sirotaient un cocktail, un *caffè latte* ou une glace au lait d'amande, elle avait envie de parler. Elle ne savait pas si cela était dû au magnétisme que Paola exerçait sur elle ou à celui de Lampedusa, mais c'était la première fois qu'elle ressentait ce besoin de se confier. Jusqu'à présent, il lui avait toujours semblé évident de cacher cette histoire, comme on le fait d'une maladie honteuse. Cette fois, la simple perspective de la partager avec Paola la soulageait déjà.

— Je suis née en 1989, à Rome, il y a dix-sept ans. Mon père avait un atelier de verrerie, qu'il a toujours, d'ailleurs, et ma mère bossait chez un notaire. On avait une vie heureuse, tous les trois. Vraiment. On habitait pas très loin de la fontaine de Trevi, tu connais ?

Paola acquiesça, impressionnée :

— C'est le plus beau quartier de la ville !

Mila approuva d'un petit hochement de tête.

— Les loyers le sont aussi ! Du coup, notre appartement était tout petit. Enfin bref. Après l'école, mon père venait souvent me chercher, dans ses vêtements de verrier. On prenait le métro B et on allait à l'atelier, dans le quartier de Testaccio, c'est moins cher là-bas. Avec lui, je ne voyais pas le temps passer. Je le regardais faire, manipuler ces instruments étranges et souffler la vie dans la pâte de verre. Je croyais qu'il était un sorcier.

Le serveur interrompit la conversation, déposant les consommations avec des contorsions que Mila, si elle n'avait pas été absorbée par sa narration, aurait trouvées totalement ridicules.

Elle plongea ses lèvres dans la mousse blanche, imitée par Paola qui attrapa son verre glacé. Enfin, elle poursuivit :

— Je suis longtemps restée fille unique, mais ça ne me dérangeait pas. Les poupées, c'était pas tellement mon truc. J'ai toujours été assez garçon manqué, en fait. Je préférais courir dans les rues et tambouriner sur ma batterie. Je n'ai jamais eu envie d'être maîtresse, coiffeuse ou vétérinaire. Moi, ce que je voulais, c'est être batteuse dans un groupe de rock ! Il paraît que ma mère maudissait mon oncle Francesco, c'est lui qui me l'avait offerte pour un Noël.

Paola eut un petit sourire amusé, et Mila reprit :

— Je ne savais pas tout ça à l'époque, mais j'ai compris plus tard que ma mère avait toujours rêvé d'avoir beaucoup d'enfants, comme dans sa famille. Ils sont neuf frères et sœurs, très rapprochés. Le genre de tribu dans laquelle tout le monde se réunit le dimanche ; on mange, on se dispute, on parle de la varicelle du bébé, les gamins font des bêtises, le grand-père râle en patois parce qu'il trouve que les pâtes sont trop cuites.

Mila marqua une pause pendant laquelle Paola but une gorgée de sirop, avec des gestes discrets, comme pour ne pas la déranger.

— Mes parents m'ont eue suffisamment rapidement pour imaginer qu'après moi, mes frères et sœurs viendraient tout aussi facilement. Sauf que ça n'a plus fonctionné. Ma mère a fait quatre ou cinq fausses couches, je crois. C'est con, franchement, quand tu penses à tous ceux qui en ont alors qu'ils n'en veulent pas. Notre voisine actuelle, elle en a cinq, et elle ne trouve rien de mieux à leur faire faire que de les coller devant la télé à longueur de journée.

Paola avait reposé sa boisson. Elle écoutait Mila avec gêne et gravité.

— J'imagine que certaines femmes se font une raison. Pas ma mère. Plus le temps passait, plus elle avait *besoin* de ce bébé. Elle n'avait plus que ça en tête. Une obsession. Mon père m'a dit qu'elle ne supportait plus la vue des landaus ou des femmes enceintes. Elle s'est mise à aller à l'église presque tous les jours. Ça, tu vois, je m'en souviens bien : j'avais horreur de l'accompagner. La voir tirer sur la fermeture de son porte-monnaie, en tremblant, avec des gestes de vieille, ou de droguée, ça me remplissait d'effroi. Allumer son cierge et répéter ses prières sans me regarder, comme si je n'étais pas assez. Une fois, alors qu'elle marchait vers la sortie, j'avais éteint tous les cierges.

Mila reprit son souffle. Elle avait l'impression d'avoir parlé très vite, comme pour ne pas garder trop longtemps en bouche le goût de ces mots.

— Je n'aime pas les églises.

— Mince, souffla Paola, sensiblement navrée. Et moi qui ai cru bon de t'emmener à la chapelle !

— Tu ne pouvais pas savoir, sourit Mila. En tout cas, quand le bébé est arrivé, si longtemps après moi, ils ont cru au miracle. Cet enfant, c'était un don du ciel. Je me rappelle de la chambre qu'ils avaient préparée. Au-dessus de la fenêtre, mon père avait suspendu un mobile de verre soufflé qu'il avait fabriqué à l'atelier. Quand il y avait du soleil, les petites pièces scintillaient, c'était vraiment joli. Après, quand on a déménagé, j'ai voulu le mettre dans ma chambre, mais je ne l'ai pas retrouvé.

Mila but une longue gorgée de bière, à peine dérangée par les éclats de voix de deux filles tartinées de rouge à lèvres qui venaient d'investir la table voisine. Paola, elle, ne disait toujours rien.

— Ma mère attendait cet enfant avec une intensité que j'aurais du mal à rendre par de simples mots. Pour moi, ça, c'était déjà difficile à encaisser. Elle a accouché un 15 février. Quelques jours plus tard, elle est rentrée à la maison avec le bébé. Un petit garçon. Il s'appelait Manuele. Ça signifie « Dieu est avec nous ».

Mila eut une petite moue amusée.

— Je l'ai trouvé moche. Rouge et plissé, comme un truc pas terminé. Et puis il pleurait tout le temps.

L'idée d'un sourire se dessina sur les lèvres de Paola.

— Comme un bébé, quoi.

— Oui, comme un bébé. J'ai immédiatement regretté qu'il soit là. J'ai subitement réalisé qu'un jour, il irait dans l'atelier de mon père, avec moi. Ou même à *ma* place. Que je n'étais plus la fille unique du sorcier. J'ai souhaité... qu'il disparaisse. Qu'il nous fiche la paix. Qu'il me rende mes parents.

Elle fit une pause et inspira profondément.

— Mais il est resté. Presque cinq mois ont passé, j'avoue que je ne me souviens pas beaucoup de cette période-là, alors que j'ai gardé d'autres souvenirs du même âge, très précis. Ce n'est peut-être pas un hasard, d'ailleurs. Ce que je te raconte, c'est donc de la bouche de mon père que je le tiens. Il m'a tout expliqué. De ce côté-là, je ne peux rien lui reprocher.

Elle avala une autre gorgée de bière. Elle avait la gorge si sèche, comme si elle n'avait pas bu depuis une éternité.

— C'est arrivé très vite. Manuele a contracté une méningite et il a été hospitalisé. Mes parents m'ont envoyée chez un couple d'amis. Avec leur fils, on a joué pendant toute la semaine, ça, je m'en souviens, parce que je me suis bien amusée. Chez eux, il y avait toujours du pop-corn et la console de jeux allumée, un chien qui te léchait les pieds et des jouets éparpillés. Tu vois le genre.

Paola hocha la tête et Mila poursuivit. Elle ne pensait pas avoir jamais autant parlé.

— Et puis un soir, mon père est venu me chercher. Il m'a simplement expliqué que Manuele était mort de sa maladie. Les médecins n'avaient pas réussi à le sauver.

Paola posa ses doigts sur le bras de Mila. Trois bracelets finement enchevêtrés cliquetèrent sur la mosaïque de la table.

— Mila… je ne sais pas quoi dire… Je suis vraiment désolée…

Mila se recula lentement et regarda ses mains étalées sur ses genoux.

— Tu sais, je ne me rappelle pas très bien de Manuele. Je sais que ça doit sembler horrible à entendre, mais il ne me manque pas... Je ne l'ai pas vraiment connu... Tu me comprends ?

La fin de sa phrase se perdit dans de nouveaux éclats de rire provenant de la table voisine. Elle reprit :

— Ce qui a été affreux, pour moi, ça n'a pas été la mort de Manuele, mais ce qu'elle a entraîné. Ça a tout ravagé. Ma mère a fait une tentative de suicide. Mon père a presque arrêté de bosser pour s'occuper d'elle. J'étais en colère, j'en voulais à la terre entière. Je détestais ma mère de se laisser aller alors que moi, j'étais encore là, bien vivante. De me voler mon père, avec sa dépression. Plus tard, je m'en suis voulu à moi, d'avoir pensé à ça. Et de ne pas avoir pleuré pour Manuele.

Elle observa Paola, soucieuse de lire une réaction sur les traits délicats de son visage. Mais elle n'y parvenait pas. Qu'est-ce que la nièce de Gina pouvait bien penser d'elle ? Son avis lui était précieux. Et elle admirait trop Paola pour ne pas craindre son jugement.

— C'est pour ça que je suis interne. Pas parce que le lycée est trop loin de chez moi. Mais juste parce que c'était trop difficile pour moi de voir, tous les jours, à quel point notre vie avait changé. J'avais l'impression que chaque jour était celui de la mort de Manuele. Aujourd'hui encore, quand j'ai le cafard, la seule chose qui me réconforte vraiment, c'est de me rappeler comment c'était avant. Lorsque j'étais petite et que tout allait bien… avant que mes parents ne décident de faire un deuxième enfant.

Quelques larmes embuèrent ses yeux, qu'elle s'efforça de contenir. Elle ne se sentait pas prête à les laisser couler devant Paola.

Derrière elles, les deux jeunes filles, sur qui le serveur, pragmatique, avait désormais jeté son dévolu, minaudaient en se tripotant les cheveux.

Après quelques minutes silencieuses, Paola se leva et sortit un billet de sa poche. Elle le posa sur la table et murmura :

— Allez viens, je t'emmène quelque part. Je vais appeler Ugo et les autres pour les prévenir qu'on les rejoindra plus tard.

Alors qu'elles cheminaient entre les tables, Paola attira doucement Mila contre son épaule.

— Tu sais… tu peux pleurer.

Awat, 18 ans et 11 mois

Je ne l'ai pas dit aux autres, mais c'est la première fois que je fous les pieds dans un bateau.

Je n'ai jamais aimé la mer. On ne peut pas lui faire confiance, elle est sournoise.

J'ai envie de gerber depuis qu'on est partis, Amanuel se fout de ma gueule. Si ça ne tanguait pas autant, j'irais bien lui mettre un pain.

Il me semble que ça irait mieux si je pouvais m'allonger. Mais on n'a pas de place, sur ce rafiot. On est plus entassés que des graines de bonduc dans un jeu d'awalé. Et puis on se fait rincer, je suis déjà trempé. Je me demande si on n'aurait pas dû choisir un chalutier. Ou même une de ces longues pirogues en bois. Quelque chose de plus costaud, quoi.

Gebriel est assis à l'avant, giflé par l'eau et le vent. Il paraît serein, Gebriel. Forcément, c'est lui qui a insisté pour choisir ce passeur. Et puis de toute façon, Gebriel est toujours optimiste. Parfois, je l'envie. Mais je me demande quand même s'il a tout bien là où il faut, ce con-là.

Amir conduit le Zodiac. C'est comme ça qu'il a fini de payer sa traversée. Il nous a juré qu'il avait déjà piloté des barques à moteur, en Érythrée, il a intérêt à dire vrai. Pour 500 dollars de plus, le passeur nous a filé un GPS et un téléphone portable. Ça, moi, je sais m'en servir, mais Amir, il a voulu les garder avec lui. S'il nous plante, je le jure, je lui pète la gueule avant de mourir. Rien à foutre qu'il ait à peine trois poils sur ses guiboles de gosse.

Le soleil luit sur les écailles de la mer. On dirait du métal. Pour un peu, je pourrais presque trouver ça beau. Si je pouvais être sûr qu'on va s'en sortir. Si je n'étais pas Awat qui, depuis qu'il est né, tente de sauver sa peau.

J'ai soif. Je me tourne vers Saafiya, elle a le bidon de flotte entre les jambes. Je crie :

— Passe-moi l'eau !

Elle fronce les sourcils, secoue la tête.

— Non, t'as déjà bu une fois ce matin ! On doit se rationner pour tenir trois jours, on est huit, je te rappelle !

Salope.

Je vais essayer de dormir un peu. Avec la faim, ça fonctionne, je l'ai fait plein de fois depuis qu'on est partis. Elle est facile à tromper, la faim. Elle est bécasse. Tu dors, tu penses à une fille bien balancée ou même, carrément, tu imagines que tu bouffes. Le kifto *que prépare ta mère, avec du beurre aux herbes et plein de gingembre pour te chauffer le gosier. Tu sens presque le bœuf cru qui fond dans ta bouche, ce goût doucereux qui réveille l'animal tapi sous ta peau d'homme. L'animal que t'as appris à bien connaître depuis que t'es parti.*

Bref, suffit de lui raconter des histoires, à la faim.

La soif, je sais qu'elle est plus maligne, elle ne se laisse pas si facilement berner. Quand je serai en Angleterre, je me descendrai de grandes chopes de bière fraîche et, lorsque je les claquerai sur la table, j'aurai plein de mousse blanche autour de mes lèvres brunes.

■ ■ ■

Première nuit. Tout est noir. Noir liquide sous la coque du bateau. Noir de plomb au-dessus de ta tête. Noir silence autour de nous.

Je hais la mer, encore plus qu'hier.

Amir a décidé de se reposer un quart d'heure, il somnole à côté du moteur relevé. Amanuel et Saafiya se tiennent la main, se chuchotent des mots que je n'arrive pas à me figurer. Parfois, ils me font envie, d'être deux. Je ne sais pas vraiment ce que ça fait, en vérité. Je n'ai jamais été avec une fille autrement que pour un soir. Je crois qu'elles me font peur. Elles sont étranges.

À côté d'eux, Pietros est immobile, seul son chapelet oscille, mollement, au rythme de l'onde liquide. Gebriel nous a conseillé de ne pas trop changer de place, pour que le bateau reste équilibré.

— C'est l'avantage d'avoir un petit Zodiac, il a dit. Léger, facile à piloter, et suffisamment discret pour ne pas se faire choper par les soldats libyens dans les eaux territoriales.

Pietros, il est docile, il obéit. Ou plutôt, il doit avoir les chtouilles : il est figé comme l'une de ces statues d'ébène de la maison dans laquelle j'ai bossé, à Khartoum. Heureusement que son Dieu ne lui demande pas de danser le Baarimo[34] *pour égrener son chapelet.*

J'ai toujours ce goût de vomi dans la bouche. C'est dégueulasse. Je crache par-dessus bord. Machinalement, parce que je n'ai rien d'autre à faire, j'essaie de suivre la tache blanchâtre mais elle se perd instantanément dans l'écume vorace.

34. Danse traditionnelle de la région de la Corne de l'Afrique.

Je sais qu'on n'a pas encore fait la moitié du voyage mais j'en ai déjà marre. Le temps passe trop lentement quand on ne maîtrise rien autour de soi. Au fond, j'étais plus serein lorsque j'ai dû lâcher ma pelle sur le sol de Sawa. Là, au moins, c'était moi le patron. Je préfère quand c'est moi qui commande.

Cette traversée, je l'ai souhaitée autant que je l'ai redoutée. La fin du voyage, le dernier sas. De l'autre côté, la possibilité d'une vie. Mais je n'avais pas prévu que ces vilaines tiques s'accrocheraient à moi dès les premiers milles. La faiblesse. La vulnérabilité.

Tout est silence. On n'entend que le clapotis de l'eau. Je hais ce bruit, il est mouillé, entêté, hypocrite. Il faut que je pense à autre chose, sinon je vais devenir dingue.

Aucun de nous ne dit quoi que ce soit. Scène de désolation silencieuse.

Qu'est-ce qui se cache derrière nos lèvres closes, derrière nos yeux striés de vaisseaux rougeâtres ? L'espoir, la prière, la confiance? La peur ou l'abattement ?

Ne pas réfléchir à ceux qui se sont échoués avant nous.

Ne pas se demander si leurs membres boursouflés, distendus de litres d'eau, ne sont justement pas en train de se disloquer, là, pile en dessous de nous.

Je lève la tête. Les étoiles sont rares et les nuages avancent. On dirait que le Zodiac tangue beaucoup, maintenant. Dans le bateau, nos silhouettes se découpent faiblement sous un croissant de lune trop mince pour être notre guide. Saafiya s'est accrochée au cou d'Amanuel, le bidon orange toujours serré entre les deux baguettes brunes qui lui servent de jambes. On se connaît depuis un moment, on pourrait quand même se faire confiance, non ? En fait, c'est certainement de moi qu'elle se méfie le plus.

Elle a raison. Elle a senti la bête que je dissimule sous mes muscles secs.

Gebriel est adossé contre le boudin de caoutchouc. Il pionce, ce con. Comment il fait, merde ? Et qu'est-ce qui foire chez moi pour que je me sente si étranger à moi-même depuis qu'on est en mer ?

Je déteste la faiblesse.

Je me déteste.

Et j'en ai marre de penser tout le temps. Je voudrais qu'on me déconnecte la cervelle.

Je secoue mes jambes engourdies. Je voudrais courir, la tête pleine de vent, comme lorsque je poursuivais ma petite sœur sur la terre rouge de mon pays. Elle criait de terreur et de délice, tentait de me semer dans les pierriers, avant de s'arrêter et de m'appeler d'un ton inquiet : « Awaaaat ?! Où est-ce que tu es caché ? »

Encore deux journées, une ou deux nuits maximum.

On devrait bientôt être de l'autre côté.

Je souris. En fait, d'un seul coup, j'ai même envie de rire. De tous les embrasser.

Je respire. Je souffle.

Mes poumons se gonflent, mon cœur exulte. Je vis.

Putain, tu vois, petite sœur. J'y suis presque.

▪▪▪

Des gouttes d'eau sur la tête.

— Il pleut ! gémit Meloata.

Elle m'énerve, celle-là, avec ses yeux de chien battu. Je préfère Meron. Dans le fond, on est pareils, tous les deux. On a la même rage au fond des boyaux.

Justement, je l'entends soupirer, les mains croisées sous son menton, le regard vers l'horizon :

— Ça tombe bien, ça manque d'eau, par ici !

Amanuel et Saafiya sourient. Moi pas. Je ne suis pas tranquille. Depuis cette nuit, je la trouve bizarre, la mer. Pas comme elle devrait être. Pas comme je voudrais qu'elle soit.

Qu'est-ce qui va nous arriver si un orage éclate ?

Je le savais, qu'on aurait dû choisir un chalutier au lieu de payer 15 000 dollars pour cette barcasse. Putain, je l'avais dit.

À côté de moi, Saafiya s'active. Elle a dévissé le goulot du jerrican orange et y enfile l'entonnoir que Meron vient de découper dans une bouteille de plastique. De l'eau de pluie ! C'est pas con. Je hausse les épaules.

— C'était bien la peine de nous empêcher de boire.

Maintenant, il pleut tout à fait. Le ciel est une boue de nuages.

Il n'y a plus un seul centimètre carré de sec sur ce rafiot. L'eau ruisselle de nos crânes jusqu'à nos pieds. Tout est gris, sombre, lugubre : les nuages, la pluie, la mer, nos visages. Meloata a replié ses jambes entre ses bras. Ses cheveux plaqués par la pluie barrent ses joues comme des ficelles sombres. Elle tremble déjà. Ou bien elle pleure. J'ai envie de lui mettre une baffe.

Amir aboie, avec sa voix de chiot :

— Faut écoper !

— Avec quoi ? crie Meron, les mains en visière au-dessus de ses yeux pour se protéger de la pluie.

— Il doit bien y avoir un récipient quelque part ! Ou une éponge ! Démerdez-vous !

Gebriel fouille frénétiquement à l'avant, sous une petite bâche repliée où pourrait peut-être se dissimuler une éponge de deux centimètres carrés. Nous autres écopons avec nos mains froides, sauf Saafiya, qui utilise l'autre moitié de la bouteille en plastique. Elle est débrouillarde, cette fille. On a bien fait de la prendre avec nous, finalement, même si elle vomit tout le temps. Quand Amanuel l'a ramenée dans notre piaule, à Khartoum, je me rappelle avoir commencé par l'insulter. Comme si c'était le moment de s'embarrasser d'une gonzesse, alors qu'on n'avait même pas fait la moitié du voyage. Il m'a mis une droite. C'est con, l'amour, hein !

J'écope toujours. Est-ce que c'est normal qu'il y ait déjà autant de flotte dans le bateau ? J'essaie de me concentrer sur ma tâche, mais je ne peux pas empêcher mon cerveau de tourbillonner. Ceux qui sont morts, avant nous. Est-ce qu'ils ont commencé comme ça, par écoper ? Les naufrages débutent forcément par quelque chose.

Gebriel gueule :

— Y a pas d'éponge ! Y a rien !

Ils me font marrer, les mecs. On est sur un minuscule Zodiac rafistolé par un passeur somalien, pas sur un paquebot trois étoiles rempli de trucs à bouffer et de gonzesses prêtes à se faire tirer.

La houle s'est réveillée. Je lève la tête : il n'y a plus aucun refuge de ciel clair. J'arrête d'écoper, à quoi ça sert, il rentre deux fois plus d'eau que ce qu'on en sort.

Je m'agenouille contre la paroi. J'en ai rien à foutre de ce que les autres font : mon seul horizon, c'est de m'accrocher à la main courante qui serpente le long du boudin. La surface de l'eau est blanche et mousseuse, des kilomètres de mer de savon, à perte de vue.

Au-dessus, une masse compacte et sombre s'étend lentement.

Et le ciel qui s'éteint progressivement.

L'orage qui s'annonce est une créature terrifiante. C'est le père du Mokélé-mbembé et de tous les autres monstres qui hantent les plaines et les déserts d'Afrique. Il nous a poursuivis jusqu'ici. Il ne voulait pas que l'on s'enfuie du pays. Restez chez vous, même si vous devez en crever. Restez chez vous, ou bien vous crèverez ! *J'entends sa respiration lourde, son cœur qui palpite. Il rumine. Il mûrit lentement. Il prend son temps, il attend le moment.*

Ce foutu bateau en plastique va se faire déglinguer et nous, on va se faire éjecter comme des graines de meshalla mises à griller.

Je me plaque contre le renflement du caoutchouc, j'ai besoin de sentir quelque chose de dur, de connu. Je ferme les yeux sur le ciel qui se résout en pluie.

Une violente rafale d'eau me projette de l'autre côté du bateau. Ma joue droite atterrit sur le genou d'Amanuel qui lâche un cri sourd. J'étouffe un gémissement. Je me dégage tant bien que mal et à quatre pattes sous les hallebardes d'eau qui n'en finissent pas de remplir l'embarcation, je tente de regagner ma place. Je n'arrive pas à croire qu'hier, il y avait à peine quelques vaguelettes.

Le tumulte me déséquilibre. Je me redresse à peine que je suis à nouveau sur le flanc. Les vagues déferlent et me frappent, enjambent sans problème les boudins du Zodiac. Comment ai-je pu croire que cette barque minable tiendrait la route? Pourquoi est-ce que j'ai fait confiance à ce débile de Gebriel?

Autour de nous, ça siffle, ça bouillonne, ça écume, ça tempête. On m'empoigne le cerveau, me remue l'estomac, secoue mes membres qui ne m'obéissent plus. Les mille bras de la mer s'agitent sous la coque du bateau qui craque, je l'imagine déjà s'ouvrir en faille béante, sous les flots qui tendent ses lèvres gourmandes. Je tâtonne pour retrouver ma corde, j'ai du mal à ouvrir les yeux. Des bribes de cris traversent le rideau de pluie, mais n'obtiennent pour toute réponse que le vacarme de la mer qui hurle.

Je viens de comprendre ce que l'orage prépare dans les entrailles de l'eau.

La vague.

Celle qui traîne son ventre d'eau dans les cauchemars. Celle qui engloutit, avale, fracasse. Je la sens. Elle nous cherche. Elle a faim de l'espoir qui circule dans nos veines.

Une nouvelle secousse nous projette encore les uns contre les autres. Mes yeux s'ouvrent sur l'écume, terriblement proche. Le bateau est presque couché sur bâbord, j'entends des chocs, des craquements, des hurlements, je ne sais pas s'ils appartiennent aux filles, aux garçons, à la mer ou aux vents.

Je suis arrivé au moment où le futur n'existe plus. Je n'ai plus peur, maintenant que je vois la mort.

Nous sommes de nouveau à l'horizontale.

J'avise une silhouette qui se lève tant bien que mal. Ce pourrait être moi, mais c'est Meron. Sous les trombes d'eau, elle hurle, le visage et les paumes offertes au ciel. Elle insulte qui veut l'entendre : la mer, son père, la pluie, les côtes italiennes qui se refusent à nous, les dieux que Pietros ou Meloata se disputent, de toute façon ils ont tous les deux tort, ni l'un ni l'autre n'est avec nous dans le bateau.

Une troisième rafale me propulse en arrière. Mon crâne heurte quelque chose de dur. Un liquide chaud coule doucement de l'arrière de mon crâne.

Elle est douce, cette chaleur.

■ ■ ■

J'ouvre les yeux. J'ai mal.

Le ciel est lavé, seulement parcouru de quelques guenilles grisâtres. Je me redresse. L'eau est si calme, le bateau si tranquille. Est-ce que j'ai rêvé cette tempête ? Je porte la main à ma nuque. La texture du sang qui coagule.

Je jette un œil autour de moi : nous sommes tous là, vaporisés d'une sorte de brume invisible et opaque à la fois. De l'abattement, du désarroi.

C'est bizarre de se sentir si seul au milieu de nulle part. Pourtant, je sais bien que quelque part, à droite, à gauche, devant ou derrière, il y a le monde. Qu'est-ce qu'ils sont en train de faire, les gens d'Europe, pendant que nous, on est là, à crever de vouloir les rejoindre ? Peut-être qu'ils sont en train de manger. Ou de travailler dans des bureaux avec des tas de dossiers compliqués.

Saafiya écope mollement tandis que je réalise que mes fesses et mes pieds trempent dans l'eau. La peau de mes doigts est toute flétrie, mon visage, mes bras me piquent. J'ai l'impression que des milliards d'insectes sc délectent de mes lèvres craquelées, des parois gonflées de ma gorge, des centaines de petites plaies qui dessinent sur mon corps la carte de notre voyage. Saloperie de sel.

Je saisis un morceau de carton qui se délite entre mes doigts, je reconnais l'un des paquets de biscuits que Saafiya avait emportés pour nous tous. Flotte de merde, bateau de merde, vie de merde. On n'a rien à bouffer.

— J'espère que t'aimes le poisson cru, me lance Gebriel, comme s'il avait deviné mes pensées.

Meron siffle :

— Et comment tu crois que tu vas l'attraper, ta friture ? Tu crois qu'elle va sauter toute seule dans le Zodiac ?

Elle est amère, comme d'habitude, mais c'est le désespoir qui filtre au travers qui me met en rogne, parce qu'il fait écho à celui qui me grignote.

Je me lève, ôte mon T-shirt et mon short. Ils sont humides, poisseux de sel, aigres de pisse depuis que je ne prends plus la peine de me pencher par-dessus bord. Quand il fait froid, la pisse, c'est bon.

Hors de question que je remette ces trucs sur le dos avant qu'ils ne soient secs. Je les essore et les étends sur le caoutchouc tiède. En Italie, on lavera nos fringues. Peut-être même qu'on sentira le savon. Comme celui que ma mère avait ramené une fois, de l'hôtel où elle faisait le ménage, au pays. Au jasmin.

Amir est penché sur le moteur ouvert. Je m'approche de lui, les chevilles dans l'eau. Quand je serai en Angleterre, j'irai pas à la mer. De toute façon ça tombe bien, ce n'est pas pour ça que j'y vais. En plus elle est gelée, là-bas, il paraît.

Amir roule des yeux inquiets. Il avale péniblement sa salive, serre ses mâchoires de gosse. Qu'est-ce qu'ils ont tous à avoir ce regard-là ? Qu'est-ce que c'est que cette bande de toquards sur laquelle je suis tombé ?

— On est mal, le moteur est mort.

J'accuse le choc.

— T'en es sûr ?

Il claque la langue en signe d'approbation et, soudain, ce bruit que je l'ai si souvent entendu faire me semble insupportable. Je gueule :

— File-moi ton portable, je vais appeler le passeur. Il nous dira quoi faire.

Je sais que c'est con. Comme si les passeurs réalisaient le service après-vente. « Mais bien entendu, mec, c'est compris dans le forfait. Un client en vie est un client satisfait ! »

Derrière moi, j'entends Meloata murmurer :

— Le portable est tombé à l'eau pendant la tempête. Le GPS aussi.

Je fais volte-face.

— Vous voulez dire qu'on n'a plus rien ?

Elle hoche la tête, ses cheveux courts raidis par le sel. Je me retourne vers Amir qui me lance un regard désemparé. Je me jette sur lui. Je vais lui casser la gueule, à ce con.

— Awat, arrête ! hurle Meron.

Amanuel m'attrape les bras, je me débats encore plus. Qu'est-ce qu'il croit ? C'est grâce à moi qu'il est ici ! Sans moi, il pourrirait sur un chantier de l'État, pour 150 nafkas par mois ! C'est moi qui les ai fait sortir, moi ! Sans mon aide, ils ne seraient jamais arrivés à Tripoli ! Si c'était moi qui avais choisi le passeur, on n'en serait pas là !

— Calme-toi, Awat ! Il y est pour rien !

Les mots ricochent sur mes oreilles sans les atteindre. Je continue, je lance mes poings, mes genoux. Je me fous de qui les reçoit. Je savais que j'aurais dû m'occuper du GPS et du téléphone. Je suis plus enragé que je ne l'ai jamais été, je suis plus en colère que cette saloperie de mer !

Un coup de poing me fait vaciller. Je me retrouve sur le dos. Je me relève et je porte la main à ma bouche. Le filet de sang qui se mêle à l'eau de mes doigts décrit une fine arabesque carmin.

Amanuel me fixe, la colère qui palpite au fond des yeux.

— Qu'est-ce qui te prend, Awat ? Tu crois qu'on a besoin de ça, en ce moment ?

Je me laisse tomber contre le boudin. Après tout ce qu'on a traversé. Après tout ce que j'ai vu de pourri, de puant, d'injuste, après toute cette merde poisseuse qui colle à ma vie depuis si longtemps, après qu'ils ont embarqué ma sœur sans que je ne puisse faire quoi que ce soit… c'est la première fois que ça m'arrive. Je sens les larmes couler.

Ça veut peut-être dire qu'il y a encore un homme sous la peau de bête.

Là-bas, pas très loin, la terre d'Europe. Entre elle et nous, plus de kalachnikovs, de Rashaidas, de torture ou de soldats. Rien d'autre qu'un putain de désert liquide qui nous retient prisonniers.

Je sais pas bien nager.

— Qu'est-ce qu'on va devenir ? murmure Meloata.

— On va se laisser dériver, chuchote Amir. On n'a pas le choix. Avec un peu de chance, le courant nous ramènera vers une côte. Ou on croisera un bateau qui nous sauvera.

■ ■ ■

J'ai soif. J'ai faim. J'ai mal.

Ça fait quoi, maintenant, sept nuits ? J'ai arrêté de compter. Les chiffres me font peur.

Depuis deux jours, le jerrican est vide et le ciel est d'un bleu de désespoir. Pourquoi il ne pleut plus maintenant qu'on a soif, hein ?

On flotte sur des milliards de mètres cubes d'eau et on ne peut pas boire. Ça pourrait presque être drôle, si l'odeur de la mort ne rampait pas sur nos corps.

Je veux manger. Comment c'est, déjà, la chair d'une papaye ? Les fibres de la viande qui se déchirent sous tes dents affûtées, les molécules de saveur qui explosent sur tes papilles impatientes ?

Je veux boire.

Pietros passe tout son temps à égrener son chapelet. Dieu, Jésus, Marie, le Saint-Esprit, l'ange Gabriel, ils y passent tous.

Meloata aussi, elle prie, en arabe.

Moi, je ne crois en rien. L'avantage, au moins, c'est que je n'ai pas à me demander pourquoi mon dieu m'a encore laissé tomber.

Ce matin, Meloata s'est mise à raconter n'importe quoi. C'est la moins résistante de nous tous, je ne sais pas combien de temps elle va encore tenir.

Chaque heure qui passe la dépèce un peu plus. Lentement, à petit feu.

Ses paroles décousues ont fait revenir la nausée des premiers jours. Son visage gris, ses mots incohérents, titubants comme un ivrogne imbibé d'alcool de Mies[35]*.* *Le bruit de la vie qui s'en va.*

Après l'avoir écoutée, Saafiya a déclaré :

— Il faut que l'on se parle, que l'on se raccroche à des choses concrètes, des souvenirs, pour ne pas délirer.

J'ai acquiescé. Elle avait raison. Il faut rester conscient tout en évitant de trop gamberger. Mon esprit m'inquiète, moi aussi. Comme s'il avait été envouté par un sorcier. Être seul avec lui me terrorise.

35. Alcool à 15° fabriqué à base de feuilles et de miel.

C'est moi qui ai suggéré l'idée. Chacun d'entre nous raconte un morceau de son voyage. Celui qu'il veut. Comme ça vient. Peut-être que je vais raconter l'histoire du bracelet de laiton que je porte à mon poignet, celui que ma sœur m'a confié avant de se faire embarquer.

Je ne sais pas, mon tour n'est pas encore arrivé.

■ ■ ■

— Ça se boit, la pisse. Je l'ai fait dans le désert.

C'est Meron qui a parlé.

J'aurais bien envie de rire, mais l'énergie que ça requiert me décourage d'avance.

Je suis fatigué. Non, c'est au-delà de la fatigue. J'ai l'impression d'être arrivé au bout de ma vie. Encore quelques mètres et il y a le précipice, le vide, le néant.

En silence, je me force à me repasser les mots qui m'accompagnent depuis que je suis parti. Ils m'aident à tenir, comme les prières que ressassent Pietros ou Meloata.

« Hello, my name is Awat. I can work. I'm brave. »

Comment est-ce possible qu'aucun bateau ne nous ait encore croisés ? Qu'aucune côte ne se soit offerte ? Je sais qu'elles flottent là, quelque part sur la mer. Avec des villages qui envoient leur lumière.

■ ■ ■

— Il est de quelle couleur, ton T-shirt ?

Meloata ne répond pas.

— Il est de quelle couleur, bordel ?

Meron la secoue comme un dattier. Meloata se laisse faire, on dirait une poupée, les yeux dans le vague de la nuit qui nous engourdit.

Il fait si froid. Je n'ai jamais connu cette sensation dans mon pays. Des rivières glacées se figent doucement à l'intérieur de mes veines.

Hier, Gebriel a bu de l'eau de mer. Il dit qu'on peut tenir encore longtemps, avec ça. Moi, j'ai failli gerber. J'ai jamais rien goûté de pareil.

Si on avait pris un chalutier, on aurait eu la place pour emmener des poules. Leur sang aurait étanché notre soif. Leur chair aurait calmé les spasmes de nos estomacs.

Amanuel et Saafiya ne se quittent plus. Pelotonnés l'un contre l'autre, on dirait qu'ils n'ont jamais eu autant besoin l'un de l'autre. Moi aussi, j'ai envie de sentir la chaleur d'un corps. Moi aussi, j'ai besoin qu'on me touche.

J'en crève, en fait. J'en crève. Et la mer qui continue de ricaner.

De temps à autre, Pietros jaillit de son silence. Il nous mitraille de « si » qui n'ont ni queue ni tête :

« Si on avait pris un avion, plutôt qu'un Zodiac ? Ils naviguent plus vite, les avions, parce qu'ils n'ont pas d'ancre. Surtout les rouges. Les rouges, c'est les plus rapides, ils ont un gyrophare.

« Si on avait encore des pièces, pour la cabine téléphonique ? On appellerait un taxi.

« Si un ange nous apercevait et nous balançait des billets, des boulettes de viande, des passeports, des cierges, des pulls secs, du sirop d'hibiscus... ?

« Si on apercevait la tour Eiffel ? Il paraît qu'à Paris, on asperge les rues de parfum.

« Si on était nés ailleurs ? »

Et puis il retombe dans sa prostration hallucinée. Il se balance d'avant en arrière, comme pour se bercer lui-même. Comme Senay, le vieux soldat qui vivait à la sortie du village. Il avait perdu ses deux bras pendant la guerre d'indépendance et le reste de ses dents après. Les gamins faisaient toujours un détour pour ne pas passer devant sa hutte.

Gebriel souffle que chez lui, lorsqu'un enfant vient au monde, il est béni deux fois : une fois pour qu'il vive longtemps, une fois pour qu'il ait la chance d'aller en Europe.

■ ■ ■

La voix de Gebriel me tire péniblement du sommeil.

Le jour se lève, l'air est rose, violet. Je ne sais pas depuis quand je dors. Je ne me rappelle pas ce qui s'est passé hier, ou cette nuit. Faut dire qu'elles sont bonnes, les bières, en Angleterre. J'ai dû me prendre une bonne cuite, j'ai carrément mal au crâne. Si le père voyait ça, je m'en prendrais une bonne.

— C'est pas une côte, là-bas ? Une falaise ?

Je ne sais pas si c'est la voix de Gebriel ou si je l'ai inventée. Mon cerveau déjante, parfois. Et j'ai soif. Soif soif soif soif. Tiens, tu entends ? C'est un chien qui aboie.

Attends. Si je remarque que mon cerveau déjante, c'est bon signe. Si je déraillais tout le temps, je ne serais pas capable de le remarquer.

Personne ne répond à Gebriel. Le silence a la couleur de la mort. Tout à l'heure, il faut que l'on trouve la force de passer Meloata par-dessus bord. Elle va finir par se vider, tous les morts se vident, c'est la vie ! Après, j'irai au marché acheter des papayes et des okras, et puis je demanderai à ma sœur de nous préparer des injeras. *C'est bon, les* injeras. *Surtout celles de ma sœur. Elle a une façon spéciale de pétrir la pâte. Si je me marie, j'espère que ma femme sera une bonne cuisinière. C'est la moindre des choses, quand même.*

Gebriel répète, la voix hachée :

— Tu vois pas ? Là-bas ?

Mon corps est lourd, impossible à bouger. Je lutte contre la raideur glacée de mes bras, de mes jambes, de ma nuque. Au prix d'un effort démesuré, je regarde dans la direction indiquée par Gebriel et puis je me pelotonne à nouveau sur le sol, contre le dos de Meron que je sens derrière son pull sans couleur.

La mer, la mer, la mer encore. Rien d'autre que cette putain de mer qui nous promène sur son dos noir.

Tu connais la blague du président Afewerki au Paradis ? C'est un gars qui s'appelle Romel qui me l'a raconté, on était ensemble à Sawat. Merde, je ne sais plus comment elle se termine, par contre.

Attends. C'est qui Afewerki, déjà ? Afewerki afewerkiafewerki. Quoi ?

Je n'appartiens plus au monde, mais à l'eau sombre.

Je veux dormir à nouveau, rêver que je suis partout ailleurs qu'ici, avec moi.

■ ■ ■

Un bruit mouillé, comme une exclamation de l'eau.

Je me redresse à nouveau et regarde à l'endroit où Meloata est allongée. La forme est toujours là, raidie dans la même position grotesque. Comment fait-elle pour dormir avec les yeux ouverts ? Elle ne devrait pas. Putain franchement ! T'es une femme, faut pas faire ça. C'est carrément moche à voir.

Je tente de me hisser sur le boudin de caoutchouc pour savoir ce qui est tombé dans l'eau. Je glisse. Je m'agrippe à une corde, et je me hisse. Je pèse dix tonnes. Ou c'est le boudin qui a grandi de cinquante mètres. Après tout, c'est du caoutchouc : un peu d'eau et ça pousse jusqu'au soleil.

Gebriel est dans l'eau, ses bras maigres sont agrippés au jerrican orange dont il se sert comme une bouée.

— Gebriel… Qu'est-ce que tu fais dans l'eau…

— J'ai encore de la force, Awat. Je vais y aller. On viendra nous chercher. Je peux y arriver, je le sais.

Je crois que je souris, j'en suis pas sûr. C'est pas grave si je ne fais que l'imaginer, ce sourire. Ça me réchauffe. Je vais encore sourire dans mes pensées.

Je voudrais trouver la force de lui tendre le bracelet de laiton de ma petite sœur. Je lui ai promis qu'il toucherait le sol de l'Europe.

Mais mes bras sont si lourds. Je n'y arrive pas.

Mes yeux se ferment sur la tête de Gebriel qui semble flotter au-dessus de ce jerrican orange comme s'il n'y avait pas de corps dessous.

Nage, Gebriel, nage.

Amanuel, Meron, Amir, Saafiya, Pietros, Meloata et moi, on t'attend là. On ne bouge pas.

En Angleterre, je te payerai une bière.

18

À la sortie du village, elles empruntèrent la route qui montait à l'est, et pendant quelques secondes affolées, Mila se figura que Paola la ramenait chez elle.

Elle s'apprêtait donc à hurler à Paola de stopper la Vespa quand soudainement, sa ligne d'horizon se mit à trembler. Le brutal changement de revêtement sous les roues avait saisi Mila avant même que son cerveau ne puisse en déduire une explication sensée.

À sa grande stupéfaction, Paola avait quitté la chaussée. Elle roulait droit vers la falaise. Aucune trace de sentier n'était esquissée et il fallait vraisemblablement bien connaître les lieux pour s'aventurer en deux-roues sur la roche piégée de cactus et autres espèces malintentionnées. Mila avait d'ailleurs pédalé sur cette route à de nombreuses reprises et n'avait jamais eu l'idée de quitter le ruban de goudron.

Le littoral ressemblait à celui de la Pointe aux orangers, âpre et sauvage, lourd de chaleur, à la différence près que celui-ci ne semblait pas offrir un quelconque accès à la mer, sinon ces falaises hautes de plusieurs mètres.

Paola coupa le moteur. Elle descendit de la Vespa avec l'agilité d'une chatte, imitée par Mila, qui se contenta d'enlever son casque. Un reste d'affolement empiétait sur la surprise et la curiosité.

— Où est-ce qu'on va ?

Le regard de Paola se farda d'une lueur énigmatique, et Mila sentit une vague de déception lui chavirer le cœur. Elle avait passé une heure à se confier et alors qu'elle attendait tant de Paola, celle-ci lui proposait simplement de faire un tour de scooter. Peut-être qu'elle n'avait rien compris. Ou qu'elle l'emmenait expier ses mauvaises pensées passées en dansant pieds nus dans les cactus.

Mila se mordit les lèvres, essayant de ravaler son désarroi. Paola ne *pouvait* pas la décevoir. Pas elle. Elle ne s'en remettrait pas.

— C'est un peu difficile à expliquer avec des mots. Tu verras. Suis-moi.

Sa manière de prononcer les sifflantes était si douce à entendre. *Suis-moi.*

Parce qu'elle ne sut pas quoi dire ni faire d'autre, Mila rajusta les bretelles de son sac à dos et enfouit ses mains dans son short en jean effiloché.

Puis elle commença à marcher derrière Paola, glissant ses pas prudents dans les siens, sous les caresses du vent qui effrangeaient doucement son chagrin.

La perplexité de Mila grandissait au fur et à mesure qu'elles avançaient vers la mer. Qu'est-ce que l'endroit offrait de si spécial pour que Paola ait subitement décidé de l'y conduire ? Sur la carte de Lampedusa, aucun symbole n'attirait l'attention sur cette partie de la côte. Si près de la Pointe aux orangers, elle l'aurait forcément remarqué.

Une douleur aiguë la fit grimacer. Quelque chose venait de lui lacérer le tibia.

Elle s'arrêta pour examiner sa jambe. La peau était zébrée d'une fine trace rouge, le long de laquelle un petit chapelet de perles grenat se forma instantanément. Elle identifia rapidement le coupable, un arrogant agave dont la majestueuse hampe florale ne suffisait pas à faire oublier que les feuilles étaient hérissées d'épines.

Elle jeta un rapide regard circulaire autour d'elle, le temps de trouver ce qu'elle cherchait. Elle arracha une branche charnue d'aloès et appliqua la pulpe gluante sur la blessure. Un baume frais et visqueux, apaisant. Une astuce que *Nonna* lui avait apprise. Les vertus médicinales des plantes et des épices n'avaient guère de secret pour elle, et Mila et ses cousins avaient bénéficié, comme leurs parents avant eux, des remèdes de la vieille dame. Les feuilles du câprier pour soulager les piqûres de moustiques, la citronnelle contre la toux, les graines de coriandre en cas de maux de ventre, les infusions de fleur d'oranger pour ceux qui n'arrivaient pas à s'endormir, les tisanes de pensée sauvage en cas de fièvre.

Quelques cris de mouettes plus tard, Mila se releva. Elle était seule.

Elle fit un tour sur elle-même. Où était passée Paola ? L'endroit n'offrait aucune cachette, à part pour les lézards tapis dans les anfractuosités calcaires. Au loin, elle apercevait la carrosserie de la Vespa qui lui renvoyait un éclair de soleil, comme la lumière d'un phare au milieu d'une nuit sans rivage.

— Paolaaaaaa ?!

Mila regarda à nouveau autour d'elle, tendant l'oreille.

Elle courut rapidement jusqu'à la corniche et s'approcha du bord, l'angoisse bourdonnant dans ses oreilles. Elle n'avait tout de même pas pu tomber dans la mer ?

Très lentement, elle s'agenouilla. Plus elle se rapprochait du sol et moins elle avait le vertige. Cramponnée à deux saillies calcaires, elle jeta un œil angoissé en contrebas. Heureusement, la falaise n'était pas très haute à cet endroit. Quatre ou cinq mètres en dessous d'elle, les vagues se jetaient mollement contre un amas de roches claires.

– Je suis là !

Mila entendit la voix avant de comprendre d'où elle venait.

Puis elle aperçut Paola, un mètre cinquante plus bas, debout contre la roche, dans une excavation de la paroi. Dans ses yeux clairs, on pouvait lire de l'impatience et une sorte de joie béate. Presque mystique. Mila la dévisagea quelques secondes. Paola était complètement inconsciente. Elle risquait de se rompre le cou pour aller voir Dieu sait quelle statue de saint patron, planquée dans une falaise par un illuminé. Elle cria :

– Mais qu'est-ce que tu fais ? Remonte enfin, c'est dangereux !

– Non, descends, toi !

— T'es pas sérieuse ?

Il n'était pas question qu'elle fasse un pas de plus en direction de Paola. La surface de l'eau était loin. Et dure. Et sombre.

Paola lui offrait toujours son sourire clair, baigné de confiance et de paix, parfaitement incongru au regard de l'endroit où elle se trouvait. Elle l'encouragea :

— Tu te retournes et tu descends ! Tu ne risques rien, je l'ai fait des centaines de fois !

Mila ferma les poings, sentant ses ongles bleus s'enfoncer dans sa paume. L'espace de quelques secondes, elle s'imagina faire demi-tour. Elle irait directement en ville chercher son vélo. Ensuite, elle se trouverait une crique déserte, sortirait son iPod et la seule voix divine qui parviendrait à ses oreilles serait celle d'Anthony Kiedis.

— Allez, mais viens ! Tu as peur ou quoi ?

Mila se mordit l'intérieur des joues.

La provocation était ridicule et puérile, mais efficace. Paola était la dernière personne devant qui Mila voulait perdre la face. Elle puisa dans cette désagréable éventualité la hardiesse qui lui manquait, en même temps qu'elle se maudissait de se laisser dicter sa conduite de manière aussi facile.

Elle se retourna à contrecœur, s'allongea sur le sol et recula jusqu'à ce que ses sandales, puis ses jambes, se balancent dans le vide.

Une éternité parut s'écouler avant qu'elle ne sente à nouveau le contact rassurant de la roche sous ses pieds. Elle se laissa glisser et se retrouva aux côtés de Paola, partageant avec elle les quelques centimètres carrés offerts par le petit aplomb rocheux.

Paola la félicita en glissant ses doigts entre les siens :

— Tu vois !

Collée à la paroi, Mila déglutit, se demandant depuis combien de minutes son cerveau avait oublié de lui commander d'avaler sa salive. Elle retira sa main, troublée et irritée à la fois. Sous le logo des Red Hot Chili Peppers, son cœur tambourinait comme si Chad Smith en personne l'utilisait à la place du petit tom[36] de sa batterie.

Il devait bien rester encore trois bons mètres jusqu'en bas. Et puis après, quoi ? Elle gémit :

— Paola…

En guise de réponse, celle-ci lui désigna le piton d'escalade qui était enchâssé dans la roche, à ses pieds. Une corde à nœuds oscillait dans le

36. Les toms sont des tambours, en général au nombre de trois dans une batterie.

vide, comme un fil d'Ariane dévoyé, grotesque, ne conduisant nulle part.

Mila avait du mal à en croire ses yeux.

— On continue à descendre ? Mais on va où ? Après, c'est l'eau !

Paola hocha la tête en souriant.

— Qu'est-ce que je fais de mon sac à dos ? De mes vêtements ?

— Tu les laisses ici. Tu les reprendras tout à l'heure en remontant. Comme moi.

Paola fit glisser sa robe à ses pieds, découvrant des sous-vêtements dont le bleu laiteux rappelait celui des murs de la chapelle qu'elles avaient visitée ensemble.

À nouveau, Mila déglutit péniblement.

Puis elle cria :

— Quand est-ce que tu vas me dire ce qu'on fait là ?

Paola noua ses cheveux au-dessus de son crâne et, en vrillant son regard dans celui de Paola, répondit simplement :

— C'est un cadeau. Je t'emmène dans un endroit où jamais personne ne te conduira.

Puis elle saisit la corde et commença à descendre, agile et aérienne, telle une déesse.

19

La mer cueillit Mila, vivante et fraîche. La houle était étonnamment douce, la berçant presque.

Depuis qu'elle s'était laissée glisser entre les vagues, elle avait moins peur. Dans les bras de la mer, elle se savait en sécurité.

Paola cria :

— C'est à quelques dizaines de mètres encore ! Il va falloir nager un peu !

Mila avançait à côté de Paola, dont la jolie tête cuivrée émergeait de la soie bleue, comme si la Madone avait été remontée par les flots.

Toutes deux longeaient lentement la falaise, minuscules devant cet immense mille-feuille de strates patiemment adoucies par la constance de l'érosion.

Mila avait arrêté de se poser des questions sur leur destination, de louvoyer entre tristesse et culpabilité, de craindre la réaction de Paola quant à ce qu'elle lui avait raconté.

Elle se rassasiait de sensations, profitant du spectacle comme si tout son monde s'y réduisait, des anses et des courbes blondes décrites dans la roche, des petites grottes claires, de l'eau qui se laissait deviner en transparence, exposant ses fonds comme les sculptures de son père.

Elle s'abandonnait à l'onde, nageait au rythme des respirations de l'eau, comme si la houle avait pénétré son corps, comme si la mer et elle ne faisaient plus qu'un. Il lui semblait qu'elle n'avait jamais réalisé à quel point l'eau était apaisante, qu'elle était l'évidence, là où toutes les vies humaines commençaient.

Quelques minutes plus tard, alors qu'elles arrivaient au niveau d'un cap qui s'avançait perpendiculairement à la côte, formidable et tranquille telle la guibre d'un immense bateau, Paola annonça, frémissante d'anticipation :

— On y est presque.

Mila regarda dans la direction indiquée par Paola, mais la protubérance rocheuse l'empêchait de distinguer quoi que ce soit. Elle allongea sa brasse pendant quelques minutes encore, savourant la douceur de l'eau et la fatigue de ses bras, jusqu'au point d'inflexion de la falaise.

Derrière, il y avait une crique.

Dont la beauté la gifla en plein visage.

Pendant quelques secondes, elle cessa même de respirer. Figée dans une sidération bleutée, bousculée par une vision presque douloureuse, sonnée par la perfection de cette petite baie qui ne semblait avoir attendu qu'elle pour se mettre à exister.

Invisible depuis les hauteurs de la falaise, à cet endroit couronnée d'un éperon interdisant tout regard, la plage était blottie dans une roche crayeuse, mouillée d'eau limpide, tantôt turquoise, tantôt lapis-lazuli, cobalt, turquin, ou d'un bleu presque cassant. La palette était infinie, des plus franches couleurs aux plus subtiles, réinventée de nuances qui n'avaient pas de nom et qui existaient pourtant. Sur sa gauche, une grande arche creusée dans la roche plongeait son bras dans un halo d'émeraude liquide et lumineux, irréel.

Mila sentit un immense sourire fleurir à l'intérieur d'elle-même et il lui sembla que ce sourire, même lorsqu'il serait fané, persisterait en elle d'une manière ou d'une autre, comme l'empreinte d'une expérience à part, en dehors du monde et du temps. Les teintes, les odeurs, les sons… autour d'elle, tout paraissait si intense. Dix ans plus tard, elle retrouvait pour la première fois les sensations exactes éprouvées dans la verrerie de son père, quand elle était petite. Une fascination intacte, entière.

Elle parcourut les dernières dizaines de mètres, le souffle court, les sens troublés.

Elle sortit de l'eau, ruisselante de fatigue et d'hébétude, mais avec l'inexplicable sentiment d'être neuve, lavée, d'avoir confié à la mer une partie des poids qui l'alourdissaient.

Elle s'allongea sur le ventre, les membres gourds, l'esprit vidé, avec la sensation d'avoir épuisé le quota d'émotions attribué à sa vie entière. Le sable était un velours fin et doré.

Plus tard, elle réalisa que Paola était assise auprès d'elle, les jambes repliées entre ses bras.

— J'ai découvert cet endroit il y a trois ans. Une histoire un peu longue. C'est une personne que j'ai beaucoup aimée qui m'y a emmenée.

Elle marqua une pause, décrivant dans le sable de profondes arabesques qui se mouillèrent instantanément. Mila se releva et s'assit à ses côtés, sans poser de question.

— Depuis, j'y reviens chaque année, quand j'ai besoin d'être un peu seule, de réfléchir ou simplement lorsque j'ai besoin de voir quelque chose d'évident. Cet endroit est magique. Il m'apaise.

Mila hocha la tête. Elle n'avait rien à ajouter, mais cela n'était pas gênant. Tout était tellement étrange. Alors qu'elle regardait les grains de sable collés sur sa peau, un flash lui traversa l'esprit. Avant de revenir ici, se rappelait-elle s'être sentie bien autrement que dans ses souvenirs ou son imagination ? Elle venait de mettre des mots sur le pouvoir que Lampedusa exerçait sur elle : l'île lui donnait confiance en elle, en sa capacité à ressentir et aimer le *présent*. Cette constatation la laissa stupéfaite, émerveillée et sereine à la fois.

— Merci, Paola. Vraiment.

Celle-ci l'effleura d'un sourire, avant de plonger à nouveau son regard dans la mer. La surface de l'eau était étale, à peine ridée par une petite brise qui en puisait les parfums.

— Tu sais, pendant que l'on nageait, j'ai réfléchi à ce que tu m'as dit, tout à l'heure, au bar.

Paola inclina la tête vers Mila pour savoir si elle souhaitait qu'elle poursuive. Cette dernière l'encouragea du regard. Bien sûr que son avis l'intéressait. Mais elle ne se sentait plus inquiète à l'idée d'entendre les mots de Paola. Mila renversa la tête en arrière et ferma les yeux, offrant son visage aux baisers du vent.

Paola reprit :

— En fait, cela m'a fait penser à quelque chose. Tu te rappelles, lorsque Ugo t'a dit que son père était pêcheur ?

Mila ouvrit les yeux et mobilisa ses pensées au prix d'un véritable effort, comme si le trop-plein de sensations avait engourdi son esprit. Après quelques longues secondes, enfin, elle poursuivit la conversation, un peu à contrecœur, parce qu'il lui semblait qu'aucune parole n'égalerait jamais le murmure de ces lieux :

— Mmmh. Ça ne semble pas marcher du tonnerre, non ?

Paola renchérit :

— En fait, il y a un an et demi, Alessandro, le père d'Ugo, a dû licencier ses employés. Il a eu de gros problèmes avec la justice. Son bateau a été mis sous séquestre pendant plusieurs mois et il a été condamné à payer une lourde amende.

Mila la regarda, perplexe. Qu'est-ce que le père d'Ugo avait fait ? Spontanément, elle songea à la Mafia. Peut-être avait-il importé de la drogue. Ou des armes. C'était finalement assez courant, ici. Et quoi qu'il en soit, quel rapport cela pouvait-il bien avoir avec sa propre histoire ?

— Ah bon ? Pourquoi ?

— Je ne sais pas si tu es au courant, mais en Italie et en Sicile, depuis deux ans, il existe une loi…

Paola marqua une pause pendant laquelle elle sembla chercher le qualificatif qui lui faisait défaut.

— … Je ne trouve pas le terme adéquat. Peut-être qu'il n'y en a pas, d'ailleurs.

— Qu'est-ce qu'elle dit, cette loi ? interrogea Mila tout en s'émerveillant de la finesse du sable.

— Elle empêche tout bateau de pêche ou de plaisance de porter secours à des clandestins perdus en mer[37].

— Tu es sérieuse ?

Autour de Mila, la crique et ses couleurs avaient subitement disparu. Elle ajouta d'une voix blanche :

— Mais… et s'ils sont en train de mourir ?

— On a du mal à y croire, n'est-ce pas ? Le but est de ne pas encourager l'immigration illégale. J'ai honte rien que de penser que des hommes et des femmes ont pu aboutir à un texte de loi pareil.

---

37. Votée en 2002, la loi Bossi-Fini opère un durcissement des conditions d'accueil des migrants en Italie. Entre autres mesures, elle conduit à la mise en place de poursuites judiciaires pour toute personne, notamment les pêcheurs, qui, recueillant un migrant, se retrouve de fait complice d'immigration illégale.

Elle ôta un peu de sable de ses longues jambes. Les minuscules particules de quartz scintillaient par endroits.

— Alessandro a repêché des clandestins, et comme la loi venait d'être promulguée, il a été arrêté. Le premier.

Mila ne savait pas quoi répondre. Elle était stupéfaite. Elle avait l'impression que tout un pan du monde se révélait brusquement à elle, avec des réalités dont elle n'avait jamais entendu parler, peut-être parce qu'elle avait choisi de les ignorer, peut-être parce qu'elle ne pouvait pas les percevoir, trop recroquevillée sur elle-même, occupée à regretter son passé ou à imaginer sa vie sans la naissance de Manuele. Comment avait-elle pu passer à côté de ça, elle qui croyait avoir si bien redécouvert Lampedusa ?

— Est-ce qu'il est allé en prison ?

— Non, la rassura Paola. Il a eu du sursis.

Une mouette passa au-dessus de leurs têtes en criaillant. Le volatile opéra un piqué foudroyant en direction de la surface de l'eau avant de remonter, le bec vide.

Paola reprit :

— Tout ça, ça a ravagé Ugo. C'était quelqu'un qui avait une confiance incroyable en la vie en général et en son pays en particulier… ce qui est déjà assez rare ici pour être signalé. Bref. Nous sommes évidemment nombreux à avoir dénoncé l'injustice du système, mais lui, il a particulièrement mal encaissé le choc. Il n'a pas supporté l'idée que son pays puisse condamner son père pour avoir porté secours à des hommes en train de mourir. Un peu comme s'il s'était senti trahi, tu vois ce que je veux dire ?

Mila hocha la tête et Paola enchaîna :

— Tu l'aurais vu à cette période, il était méconnaissable. Un jour il te disait qu'il aurait fallu les laisser crever sur leur Zodiac pourri, le lendemain il vomissait sa rage contre l'État en hurlant dans les rues et devant les maisons du village. Je ne sais pas trop ce qu'il prenait, mais ça aurait pu tourner très mal.

— Mais comment… comment est-ce qu'il s'en est sorti, alors ?

— Sa mère l'a envoyé chez une tante éloignée, au fin fond de l'Enna, en Sicile. Je crois qu'elle avait peur qu'il ne finisse à l'hôpital psychiatrique… ou en prison. En tout cas, c'était la première fois qu'il mettait les pieds hors de Lampedusa. Il y est resté trois mois, sans aucun contact avec l'extérieur. Enfin, au moins sans aucun contact avec nous.

Mila était plus que surprise. Avec sa musculature presque arrogante et sa coiffure étudiée,

Ugo ne donnait pas du tout l'impression d'avoir traversé les difficultés que suggérait Paola...

Elle lui en fit la réflexion et celle-ci rebondit :

— Oui, cela paraît incroyable, n'est-ce pas ? C'est justement là où je voulais en venir. On n'a jamais vraiment su comment ces trois mois chez sa tante s'étaient passés, ce qu'il y a fait exactement, mais il est revenu... différent. Apaisé. Et depuis, il a fait beaucoup de chemin. Et nous aussi, d'ailleurs. Notre manière d'envisager les choses n'est plus du tout la même.

— Pourquoi ?

— On ne perd plus de temps à se dire qu'il serait tellement plus juste, tellement plus normal que cette loi n'existe pas, ou que ces gens n'aient pas à fuir leur pays.

Mila fronça les sourcils.

— Qu'est-ce que tu sous-entends ? Qu'il faut accepter sans broncher tout ce qui est pourri au prétexte qu'on ne peut rien changer ?

— Pas du tout. Laisse-moi terminer. Alessandro s'est endetté pour racheter un petit bateau de pêche : la mer, c'est toute sa vie. Et il dit qu'il restera digne d'elle : si le cas venait à se reproduire, il ne passera pas son chemin. Il sauvera à nouveau les clandestins. Mais certainement différemment. Plus discrètement, sans alerter les autorités.

La mouette réapparut dans le champ de vision de Mila. Elle planait au-dessus de l'eau, surveillant la surface de son œil noir.

— Ce que je veux dire, c'est qu'aujourd'hui, Ugo a arrêté de se détruire, parce qu'il n'espère plus des choses impossibles. Il a compris, nous avons compris, que la seule issue que l'on ait, c'est de faire avec. Ce qui ne veut pas dire qu'il faille se résigner, ou faire comme si ça n'existait pas. On fait ce qu'on *peut* faire, avec nos moyens. Tous les quatre, on est très engagés dans une association qui vise à faire abroger cette loi. Et Ugo s'est inscrit en fac d'histoire politique. Il dit qu'il veut être journaliste.

— Ah oui ?

— Oui, mais si tu veux mon avis, il ne résistera pas à l'appel de la mer. Il finira par reprendre le bateau de son père.

Mila ne répondit rien. Elle avait besoin de quelques minutes pour digérer tout cela.

Faire avec l'existant. Même avec le pourri, le moche, l'injuste. Même avec la mort, la maladie, la déception. L'absence.

Elle se laissa aller sur l'épaule de Paola, abandonnant contre elle le poids de ses réflexions.

Puis, toutes deux s'allongèrent côte à côte, sous le soleil qui habilla leurs ventres nus de paillettes dorées. Elles s'endormirent sous le regard bienveillant de la mer. La dernière chose que vit Mila fut une tache écarlate s'échouant timidement à ses pieds, comme la bouée de la Cendrillon d'Innocenti que la mer venait enfin de lui apporter, alors même qu'elle réalisait que désormais, elle allait pouvoir s'en passer.

Un jerrican orange.

20

Quand Mila se réveilla, le soleil commençait à caresser l'horizon. La chaleur était tendre, le clapotis de l'eau n'était plus qu'un chuchotis nonchalant et mouillé.

À ses côtés, Paola dormait encore, et Mila se plut à la regarder pendant un instant, détaillant son visage clair et serein, la lumière du soir qui jouait dans le cuivre de ses cheveux.

Doucement, elle posa sa main sur son bras pour la réveiller.

— Paola ? Paola ?

Celle-ci ouvrit les yeux et sourit à Mila.

— Paola, il va bientôt faire nuit. Il faut rentrer.

Paola se redressa et s'étira longuement. Elle regarda le soleil se mêler à la mer et souffla, la voix encore voilée de sommeil :

— On a dû dormir longtemps… Oui, tu as raison, il faut y aller, d'autant qu'il nous reste à faire le chemin en sens inverse. Les autres vont commencer à se demander où on est encore passées.

— Paola ?

— Oui ?

— En fait, je pense que je vais rentrer à la Pointe aux orangers.

Le sourire de Paola illumina son visage, comme si le soleil s'était subitement mis à remonter pour l'éclairer.

— D'accord. Je te ramène.

Épilogues

Mila apprit la nouvelle deux jours plus tard, alors qu'elle arrivait au centre du village pour acheter du pain frais pour le petit déjeuner. Elle espérait être de retour à la Pointe aux orangers avant que ses parents ne soient réveillés pour dresser une jolie table sur la terrasse. Avec des fleurs du jardin, des fruits et des brioches perlées de sucre. La veille, elle était restée à leurs côtés et les avait aidés à repeindre la salle de bains. Ils avaient parlé. Ils avaient ri, et aussi pleuré. Il y avait du temps à rattraper. Beaucoup de choses à faire sortir de leurs cœurs, encore. Et des tas d'années à construire.

8 heures sonnaient au clocher et pourtant les rues de Lampedusa semblaient avoir été déjà tirées de leur léthargie paisible. Au milieu des trottoirs pavés, devant les boutiques sur lesquelles rebondissait la lumière d'un soleil indifférent, on échangeait des

mots blancs, la mine grave, les mains dans le dos ou coincées sous les aisselles nues.

À quelques kilomètres de là, la chapelle du sanctuaire de Porto Salvo bruissait déjà de prières chuchotées avec force et du cliquetis des pièces tombant dans le tronc, à côté du porte-cierge en laiton sculpté.

La vie s'était à nouveau fracassée sur l'île du Salut. Et les exhalaisons de ce petit matin d'été étaient glacées.

Pendant la nuit, Guido Pambianchi, capitaine du chalutier *Altaïr III*, avait repéré un Zodiac à la dérive. Ses hommes et lui l'avaient accosté.

Dans le bateau abandonné, la lumière de leur projecteur avait dessiné le contour de sept silhouettes. Trois étaient inconscientes, mais vivantes. Un jeune homme à demi couché sur le caoutchouc du Zodiac, portant un fin bracelet de laiton au poignet droit. Un couple encore enlacé, les bras repliés sur le ventre de la jeune fille. Un ventre légèrement arrondi autour d'une esquisse de vie.

Malgré des désaccords musclés au sein de son équipage, Guido Pambianchi n'avait pas hésité longtemps avant de prendre sa décision, comme le père d'Ugo l'avait fait quelques années plus tôt. Il s'agissait d'êtres humains. Qu'on ne vienne pas lui dire que la loi avait quoi que ce soit à faire avec ça.

Les trois rescapés furent évacués à l'hôpital de Palerme sans que l'on connaisse leur histoire, ou simplement leur prénom.

Devant la mairie de Lampedusa, une petite foule était déjà massée et Mila distingua rapidement Paola. À ses côtés, Ugo, Olivia et Raffaele distribuaient des tracts. Elle aperçut également Gina, qui, juchée sur une estrade, invitait les passants à signer sa pétition. En la regardant, Mila songea qu'elle était loin d'être la femme transparente et bavarde qu'elle avait entrevue une vingtaine de jours plus tôt. Il lui semblait que c'était il y a une éternité.

Mila traversa la foule pour rejoindre ses amis, les jambes encore tremblantes. Elle était choquée. Entre savoir et voir, la différence était de taille. Jamais elle n'avait pensé que ce que lui avait raconté Paola puisse devenir réalité devant elle. Ses tempes étaient humides de sueur refroidie.

— Est-ce que l'on sait d'où ils venaient ? Ce que vont devenir les survivants ? demanda-t-elle sans même saluer ses amis.

— Non, lui murmura Paola. On ne sait rien du tout.

Quelques heures plus tard, au milieu de tous ces gens rassemblés autour d'une même cause, parlant d'une seule voix, Mila réalisa le chemin qu'elle avait parcouru. Elle avait l'impression d'être une Mila différente. Grandie.

Personne n'allait ressusciter ces frères, ces sœurs, ces enfants, ces parents qui mouraient en fuyant leur pays. Personne ne ferait revivre Manuele. On ne ramenait pas ce qui était perdu.

Désormais, elle avait envie de penser à l'avenir.

Elle ne savait pas ce que le futur lui réservait, ce qu'elle ferait exactement en faveur de ces migrants entrés en collision avec son monde. Une chose était sûre : en gardant les yeux ouverts, en affrontant les difficultés, tout devenait possible. Et la pierre qu'elle apporterait, même brute, même légère, avait sa place dans l'édifice.

■ ■ ■

Je suis celui qui n'est pas encore né.

Je suis à l'abri, au chaud, bien accroché, suspendu aux battements du cœur de celle qui me porte.

Boum-boum. Boum-boum.

Ils ont faibli mais je les entends encore. Ma mère est une battante. Elle ne me laissera pas tomber.

Aujourd'hui, quelque chose s'est produit. Le silence s'est enfui. Il y a eu des cris, des sirènes, des bruits violents, aigus, assourdissants, des voix que je ne connais pas.

J'espère entendre à nouveau celle de ma mère résonner autour de moi. Cela fait des jours qu'elle ne fredonne plus aucune chanson.

Boum-boum. Boum-boum.

Heureusement, il y a la musique de son cœur.

Boum-boum. Boum-boum.

Je ne sais pas encore où je vais naître, mais je forme le vœu que ce soit dans un endroit où l'on laissera nos cœurs battre d'amour et d'espoir.

Note de l'auteur

En octobre 2013, les médias ont largement couvert le terrible naufrage d'une embarcation près de l'île de Lampedusa, au cours duquel 366 clandestins africains ont trouvé la mort. Cependant, cette tragédie était loin d'être la première : depuis les années 90, de très nombreux migrants en provenance de toute l'Afrique subsaharienne tentent d'obtenir l'asile en Europe. Même s'il est très difficile de produire des chiffres exacts, on estime *a minima* qu'en vingt ans, plus de 13 250[38] clandestins sont morts aux frontières de l'Europe.

Depuis une dizaine d'années, l'Érythrée, véritable « camp de travail forcé » selon le journaliste et écrivain Léonard Vincent[39], fournit un nombre croissant de ces hommes, femmes et bien souvent,

38. Source : ONG United for Intercultural Action.

39. Lire *Les Érythréens* aux éditions Rivages, 2012.

enfants. J'ai volontairement situé cette fiction en 2006, afin de mettre en avant le sort particulier des migrants érythréens fuyant leur pays, non pas pour « profiter » des aides sociales des pays européens, mais bien pour échapper à l'intolérable répression mise en place quelques années plus tôt en Érythrée : service militaire forcé de 17 à 47 ans, interdiction de la presse indépendante, arrestation et torture des opposants, limitation des déplacements, contrôles d'identité systématiques, *giffa*, camps d'enfermement…

À l'époque cependant, les arrivées de clandestins à Lampedusa étaient déjà bien plus fréquentes que ce que je décris dans ce roman. L'île n'était plus l'endroit tranquille que se plaît à voir Mila, et, dans un contexte économique difficile, l'opinion publique italienne était déjà tiraillée entre humanité et exaspération face aux dépenses engendrées par l'accueil des migrants.

Quant à la loi Bossi-Fini évoquée dans cette fiction, elle entre en contradiction avec plusieurs textes internationaux tels que la Convention des Nations unies sur les réfugiés, le droit international de la navigation ou la Convention internationale pour le secours et la recherche maritime. Elle n'empêche cependant pas les gardes-côtes d'aller secourir les embarcations en péril. Aujourd'hui, l'Union européenne met en place d'énormes moyens financiers et humains pour tenter de diminuer le nombre de naufrages de clandestins en Méditerranée.

Remerciements

Je tiens à remercier chaleureusement :

Émilie A., qui a répondu avec un enthousiasme, une clarté et une rapidité sans pareils à mes questions sur la foi musulmane,

Dominique Lanzone (et Clarisse !), pour ses explications précises et détaillées à propos de la culture italienne,

Brigitte et Aurélien, les meilleurs éditeurs du monde !

Annelise Heurtier est née en 1979 dans la région lyonnaise. Elle écrit pour des publics variés, des premières lectures jusqu'aux romans pour adolescents.

Souvent inspirés de faits réels, ses textes sont autant de prétextes au voyage et à la découverte de cultures, de parcours de vies singuliers.

Du même auteur

aux éditions Casterman

collection romans

Le Carnet rouge
Prix littéraire et citoyen de la Ligue de l'Enseignement
au Salon du livre jeunesse du pays de Lorient, 2012
Prix « Gayant Lecture » au Salon du livre jeunesse de Douai, 2013
Livre élu 2013 en Livradois Forez

La Fille aux cheveux d'encre
Prix des jeunes lecteurs de Nanterre, 2013

Sweet Sixteen
Prix NRP littérature jeunesse, 2013-2014
Prix de la librairie Honoré, 2013
Prix Ado'lire de Vaux-en-Velin, 2014
Prix Livrentête, 2014
Prix Ados de la Ville de Loudéac et de la Cidéral, 2014
Prix du festival du livre de jeunesse de Cherbourg-Octeville, 2014
Prix Ravinala du livre voyageur de Majunga, Madagascar, 2014
Prix Aficion'ados de la Médiathèque du Mont de Marsan, 2015
Prix Lire@Sénart, 2015
Prix Tatoulu Blanc, 2015
Prix Tapage, 2015
Prix littéraire des collégiens de Haute-Savoie, 2015
Prix Rebelles de la Médiathèque du grand M et de la librairie Tire-Lire de Toulouse, 2016

Là où naissent les nuages
Prix RTS Littérature Ados 2015

Refuges

Charly Tempête
Tome 1. On déménage !
Tome 2. Drôle de rentrée !
Tome 3. L'affaire du chien
Tome 4. Tous pour un !

Le complexe du papillon

Envole-moi

collection Les albums Casterman

Babakunde